D1359747

Stéphane Audeguy

La théorie
des nuages

Gallimard

Stéphane Audeguy vit à Paris. Il enseigne l'histoire du cinéma et des arts dans un établissement public des Hauts-de-Seine. *La théorie des nuages* est son premier roman.

Tout ce qu'on voit encore se développer dans les airs et naître au-dessus de nous, tout ce qui se forme dans les nuages, tout enfin, neige, vents, grêle, gelées, et le gel si puissant qui durcit le cours des eaux et ralentit ou arrête çà et là la marche des fleuves, tout cela peut aisément s'expliquer, ton esprit n'éprouvera aucune peine à en comprendre les causes et à en pénétrer le secret, du moment que tu connais bien les propriétés des atomes.

LUCRÈCE

L'étude des ciels

> What a glorious morning
> is this for clouds !
>
> CONSTABLE

PREMIÈRE PARTIE

L'adolescent

I

Elle comprend qu'au début du dix-
neuvième siècle quelques hommes anarchistes et

Vers les cinq heures du soir, tous les enfants sont tristes : ils commencent à comprendre ce qu'est le temps. Le jour décline un peu. Il va falloir rentrer pourtant, être sage, et mentir. Un dimanche de juin 2005, vers les cinq heures du soir, un couturier japonais, nommé Akira Kumo, parle à la bibliothécaire qu'il vient d'engager. Il est assis au troisième étage de son hôtel particulier, rue Lamarck, dans sa bibliothèque personnelle qui fait face au ciel : trente mètres carrés de baie doublement vitrée filtrent tous les bruits de la ville. Au-dessus de la ligne grise des toits, les nuages s'étalent, les mêmes toujours et toujours changeants, oublieux des paysages qu'ils dominent.

La nouvelle bibliothécaire regarde les rayonnages. Elle s'appelle Virginie Latour. Akira Kumo lui parle de Londres au début du dix-neuvième siècle. D'abord Virginie Latour ne comprend pas grand-chose. Puis il est question de nuages. Il est question de nuages et Virginie Latour commence à comprendre. Elle comprend qu'au début du dix-neuvième siècle quelques hommes anonymes et

13

muets, disséminés dans toute l'Europe, ont levé les yeux vers le ciel. Ils ont regardé les nuages avec attention, avec respect même ; et, avec une sorte de piété tranquille, ils les ont aimés. L'Anglais Luke Howard était de ces hommes-là.

Luke Howard est un jeune sujet de l'Empire britannique. Et c'est au cœur de cet Empire, à Londres, qu'il réside, et qu'il exerce la profession d'apothicaire. Il appartient à la Société des Amis ; c'est ce qu'on appelle un Quaker. Il est difficile de ne pas aimer cet homme-là. Avec la constance tranquille des innocents, il semble en effet n'avoir consacré sa vie qu'à fort peu de choses : aux nuages, aux hommes, à son unique dieu. Une fois la semaine au moins, Luke Howard participe à l'une de ces réunions religieuses qui, chez les Quakers, font office de messe. Quel usage d'un prêtre ferait une Société des Amis ? Les Quakers lisent sans cesse la Bible, et la Bible ne leur parle ni d'un clergé ni d'un pape. Le 25 novembre 1802, Luke Howard et ses coreligionnaires se rassemblent dans une petite salle au-dessus du laboratoire pharmaceutique où il travaille. Les membres de l'assemblée s'assoient en rond, et gardent le silence ; chacun pourtant a le droit de s'exprimer, mais pour autant qu'il a quelque chose à dire : c'est pourquoi, très souvent, la plupart se taisent. C'est ainsi que se déroule une réunion quaker. Certes, il peut arriver à ces fidèles de converser ; mais jamais ils ne discutent. Quand pourtant, par malheur, naît une discussion, ou même une dispute, le modérateur de la réunion réclame le silence. Et le silence se fait. Luke Howard quant à lui sait se taire, c'est ce qu'il sait le mieux faire, c'est son unique talent mais il le possède au plus haut degré. Admirablement il se tait, pour accueillir en son cœur les nuages et les hommes, et, par-dessus tout, le créateur de toutes choses.

La réunion du 25 novembre 1802 a été silencieuse et, de l'avis général, très profitable ; il y a toutes sortes de qualités de silence, et les Quakers excellent à les jauger : celui du 25 novembre 1802 fait l'unanimité. Luke Howard se place sur le seuil du laboratoire pour saluer les participants ; les derniers à sortir sont ses amis les plus proches. On cause, de tout et de rien ; l'un lui demande s'il a trouvé le sujet de la conférence qu'il doit leur présenter le mois prochain, dans le cadre étroit et fraternel de la petite société savante qu'ils ont fondée. Il répond qu'il hésite encore entre plusieurs sujets. Comme il ne sait pas mentir, chacun voit qu'il ment et se moque gentiment de lui ; mais personne n'insiste. La compagnie se sépare. Luke Howard remonte à l'étage et, debout devant un pupitre fatigué, vénérable, il se met au travail.

À vrai dire Luke Howard sait, depuis la minute où il a été désigné pour la prochaine conférence, sur quoi elle va porter. Il compte parler des nuages. Et il en parlera comme personne avant lui. Avant lui, les nuages n'existent pas en tant que tels. Ce ne sont que des signes. Signes de la colère ou de la félicité des dieux. Signes des caprices du Temps. De simples augures, bons ou mauvais. Mais signes seulement, sans existence propre. Or on ne peut pas comprendre ainsi les nuages. Pour les comprendre, prétend Luke Howard, il faut à un moment les considérer en eux-mêmes, pour eux-mêmes. Bref, il faut les aimer, et il est en réalité le premier à le faire, depuis l'Antiquité. Il est le premier à les contempler activement, et il croit pouvoir constater que les nuages sont formés d'une matière unique, qui ne cesse de se transformer, que tout nuage en somme est la métamorphose d'un autre. Aussi décide-t-il de recenser leurs règles de formation et de baptiser les formes-types qu'il découvre. Et, contrairement à son unique prédécesseur, un Français, Howard donne à ses catégories des noms latins afin que tous les savants d'Europe puissent les adopter.

Et maintenant c'est facile, pour nous, pour tout le monde. Tout semble facile après une invention. N'importe qui peut comprendre le moteur inventé par Rudolf Diesel, ou le principe d'élaboration des images fixes de MM. Niepce et Daguerre. Mais la conception, elle, en est terriblement ardue. La mise au point n'en finit pas. Dans le cas des nuages, le point décisif est la langue. C'est un temps très délicat de l'invention scientifique que le temps du baptême ; il y faut un talent particulier, qu'on peut juger dérisoire, mais qui se révèle essentiel. Car les noms de baptême des choses ne fonctionnent pas comme ceux des hommes. Les hommes reçoivent à leur naissance un prénom et un nom ; ensuite ils les accomplissent, ou bien les contredisent, ou les effacent, ou les modifient. Parfois ils traînent leur patronyme dans la boue ; parfois ils le portent aux sommets de la société ; parfois les deux, simultanément. Mais les choses, elles, existent en dehors de

16

leur nom ; elles peuvent exister pendant des siècles, muettes et innommées. Pourtant il y a un nom qui est là, qui les attend dans le silence, un nom qu'il faut inventer, trouver en savant, en poète. Trouver ce nom qui porte la compréhension de la chose, trouver le nom des nuages, c'est justement ce que réussit Luke Howard, le premier parmi les hommes. Et maintenant nous voyons les nuées avec lui, grâce à lui : les cumulus et les stratus, les cirrus et les nimbus, tout est là désormais, tout est tellement simple.

En décembre 1802 se réunit comme chaque mois au centre de Londres, dans Lombard Street, non loin de la rivière Tamise, un club, sorte de petite société savante où de modestes amateurs s'exercent à la science. Pour se donner du cœur à l'ouvrage, ils prennent un nom grec : la Société Askésienne prône l'*askesis*, c'est-à-dire l'exercice, selon des modalités d'une simplicité évangélique. Une fois l'an chaque membre doit prononcer pour l'édification de ses compagnons une conférence, sans quoi il s'acquitte d'une amende qui paie les boissons et le bois de chauffage des réunions askésiennes. Lombard Street, sans être un ghetto, abrite alors une sorte de petite communauté de Quakers, banquiers, pharmaciens, chimistes, qui suivent avec plaisir les séances de la Société Askésienne. Le 6 décembre 1802, vers huit heures du soir, Luke Howard pénètre au 2, Plough Court ; il porte sans affectation une tenue sévère : chapeau simple et rond, cravate noire, costume droit ; son linge est blanc. Au 2, Plough Court s'élève un bâtiment fort ancien et fort étroit, d'un abord assez peu avenant, avec ses trois étages de pierre nue et ses triples fenêtres aveuglées par des stores de toile lie-de-vin. La maison a été reconstruite de fond en comble après le Grand Incendie ; on ne l'a pas modifiée depuis. Ses propriétaires y ont ouvert une pharmacie de plain-pied, qui ne désemplit pas ; Luke Howard officie d'habitude dans le laboratoire du sous-sol, comme préparateur. Mais à cette heure la boutique est fermée depuis longtemps. Il descend sans hésiter une volée de marches qui mène au laboratoire, située à droite de l'escalier principal. Le public de la Société Askésienne est déjà là. Il est nombreux, si l'on tient compte de l'exiguïté du local ; sur cinq rangs de cinq chaises, des femmes et des vieillards, sur les côtés et au fond, debout et le chapeau à la main, les hommes. Luke Howard reconnaît quelques visages, ceux des fondateurs du club, mais ce spectacle familier, loin de le mettre à son aise, renforce sa timidité. Il y a, assis à droite comme à l'accoutumée, ses amis les plus chers : les frères William, Allen, le médecin, et Haseldine, le naturaliste ; à leur droite le clerc de notaire, Richard Phillips. Tous les trois portent la tenue de drap noir et le linge blanc, le chapeau posé sur les genoux.

Un public bienveillant de marchands, chrétiens ou juifs, désireux de s'instruire et de glaner, le cas échéant, des informations utiles au commerce, des mères avec leurs enfants, sourient au conférencier trop ému pour les saluer. Et, en ce jour particulier de l'histoire des nuages, quelques visages inconnus d'Howard ont encore grossi le public entassé dans le laboratoire de Lombard Street : le

18

timide conférencier n'a pas de chance, il fait salle comble. Une curiosité équivoque a attiré ces badauds, car la précédente séance de la Société Askésienne a fait grand bruit. On y a présenté le nouveau gaz à la mode. Le protoxyde d'azote est un gaz hilarant et passablement hallucinogène que tous les graves Quakers ont essayé avec componction, afin de comparer la qualité de leurs rires nerveux et les couleurs de leurs fantasmagories. Le laboratoire, avec son poêle noirci, ses cornues bien rangées sur les étagères, son établi nettoyé et son sol balayé paraît neuf, étranger à Luke Howard. C'est d'une voix enrouée mais joyeuse qu'il se met à parler des nuages. Il parle. Des enfants gentiment s'endorment, pour ne pas le déranger. Rapidement les amateurs de protoxyde d'azote se dirigent, avec des précautions bruyantes, vers la sortie. Les autres écoutent ; quelques-uns comprennent.

Luke Howard s'est aperçu qu'on peut ramener leurs modifications à trois grands types fondamentaux. Certains nuages en effet semblent surplomber tous les autres, et s'étirent comme des griffures de chats ou des crinières, en longues fibres parallèles ou divergentes, presque diaphanes ; Howard les nomme des filaments : ce seront, en latin, les cirrus. D'autres nuages paraissent plus denses et se dressent sur leur base horizontale, en jouant avec les rayons du soleil, de toute leur masse, si monumentaux que Luke Howard les nomme des amas, soit, en latin toujours, les cumulus. Mais il arrive aussi et souvent en Angleterre que les nuées ne forment qu'une seule nappe immense et continue, qui parfois touche le sol et se nomme brouillard, masquant tout le bleu du ciel ; cette couche informe mérite le nom de nuage étendu ; d'où l'appellation de stratus. Pour compléter la série, Howard repère également le nimbus, ou nuage de pluie, dont il fait un type mixte, qu'il baptise aussi cumulo-cirro-stratus.

La conférence connaît un vif succès. On la publie aussitôt, sous un titre parfaitement ascétique : *Sur la modification des nuages*. C'est un mince fascicule, illustré de dessins de nuages au crayon, d'une facture maladroite, mais fort clairs. Il est un signe plus sûr encore de la réussite du jeune Howard : la communauté scientifique anglaise commence à utiliser sa terminologie. D'année en année la classification d'Howard, parfois amendée, jamais abandonnée, se répand à travers le monde ; c'est encore elle que nous utilisons, sans savoir à qui nous la devons. Il en va ainsi, déclare pour finir Akira Kumo à Virginie Latour, de bien des inventions, et parmi les plus accomplies : leur auteur souvent s'efface derrière le bien qu'il a fait ; à moins qu'il n'organise lui-même, et bruyamment, sa propre publicité, poussé par un associé malin, par une femme ambitieuse. Mais quand il deviendra enfin célèbre dans les milieux météorologiques, qui forment comme tous les milieux un tout petit milieu, Howard sera depuis plusieurs années passé, ou plutôt revenu, à d'autres occupations. Des occupations qui lui importeront toujours infiniment plus que les nuages. Il y a le service de son dieu qui commande la charité ; il y a la diffusion de la Bible dans toutes les langues connues, il y a la quête active du salut de son âme. Luke Howard ne publiera plus, dans le domaine profane de la météorologie, qu'un seul livre, bilan et synthèse de trente années d'observation du ciel de sa cité favorite : *Le Climat de Londres*. Et ce sera tout pour les nuages.

Durant tout le reste de son existence, Luke Howard effectue chaque semaine, le plus souvent le dimanche, et seul, une longue promenade. Il part tôt le matin de Lombard Street, vers le nord de Londres. Il porte à l'épaule un baluchon. Il tient son bâton de marche de la main gauche, à cause d'une vieille blessure qui parfois le tourmente ; en une heure, à pas vifs, il atteint le village de Hampstead, qu'il contourne par l'ouest. Il parvient alors à destination : devant lui la lande de Hampstead déroule ses vertes collines et ses hauts pâturages. Luke Howard y pénètre toujours par l'entrée sud-est. Puis il choisit son itinéraire selon le temps qu'il fait, et selon la saison. S'il pleut, il prend par les sous-bois, le long des étangs de Highgate ; à couvert des chênes, il regarde, immobile, les nuages courir vers le sud. Par temps clair, été comme hiver, Luke gravit les pentes de la colline du Parlement : de là, effectivement, le promeneur peut apercevoir la masse bleutée du Parlement, deviner la ligne courbe de la Tamise, mais aussi toute la Cité. Pourtant il ne monte pas là pour admirer le paysage : après s'être assuré que personne ne l'observe, il tire de son baluchon une toile cirée et se couche prestement dans les hautes herbes qui couvrent tout le sommet, des deux côtés du sentier ; les yeux grands ouverts, il regarde glisser les nuées dans le beau ciel anglais, et il se remémore avec joie sa classification, en tremblant qu'un jour on ne

l'amende, ou même qu'on ne l'oublie. Puis il redescend la colline du Parlement, en rougissant de
son orgueil. Il revient apaisé vers les siens, vers
Londres et sa rumeur, en rendant grâce à Dieu
d'avoir créé les nuages, et d'avoir conféré à l'un de
ses serviteurs l'honneur insigne de les nommer.

Comme le petit homme qui lui parlait s'est levé,
Virginie Latour l'a imité. Comme il l'a raccompa-
gnée jusqu'au rez-de-chaussée, elle a pris congé de
lui. L'entourage la garde une demi-heure encore,
et c'est seulement là qu'elle comprend qu'elle est
vraiment engagée et, accessoirement, en quoi
consiste cet engagement. Elle explique à l'entourage que pour l'instant Akira Kumo s'est contenté
de lui parler des nuages. L'entourage l'invite fermement à laisser le maître juge de la façon dont on
doit procéder pour classer sa bibliothèque personnelle, et Virginie Latour comprend le message. Elle
se tait. On lui tend une enveloppe, qu'elle empoche sans un mot. Elle dit poliment au revoir. Il
est huit heures du soir. Il fait encore grand jour
dans la rue Lamarck. Elle marche un peu dans le
quartier, qu'elle ne connaît guère. Puis elle rentre
chez elle.

Quand Virginie Latour commence à travailler pour Akira Kumo, elle n'a bien évidemment, de toute sa vie, jamais pensé aux nuages. D'une façon plus générale, comme tout le monde, elle n'a presque jamais pensé ; ou alors juste un peu, en classe de terminale, le vendredi matin, à seule fin de rédiger des dissertations de philosophie. Mais, contrairement à beaucoup de ses camarades, Virginie Latour a aimé penser, même au lycée ; elle a aimé cet exercice patient, laborieux, désertique et peuplé. Après les études tout s'est passé très vite, il y a eu les transports en commun, les courses et le ménage, le travail salarié. Ça a été fini parce que la pensée est un travail, parce qu'il faut des conditions spéciales pour penser : un peu de silence, un peu de temps, un peu de régularité, un peu de talent aussi. Il faut s'entraîner et certainement on pourrait, en théorie du moins, penser n'importe où, penser en faisant ses courses, par exemple, penser en poussant son chariot vers les caisses. Mais il y a la musique, mais il y a les lumières trop blanches, mais il y a les variations de température entre le secteur des vêtements et celui des armoires frigorifiques, qui donnent des maux de tête. Et pourtant Virginie s'était juré de faire attention : elle avait tellement craint, quand elle avait commencé à travailler pour de bon, de ne plus penser du tout, qu'elle avait décidé de réserver chaque semaine une demi-heure, assise dans une pièce bien chauffée, sur son canapé, rien qu'à penser. Et naturellement, chaque fois, il s'était passé ce qui devait se passer : elle s'était assoupie.

S'agissant du travail, Virginie Latour fait partie de l'immense et infortunée majorité des personnes qu'aucune vocation n'a jamais visitée. La seule chose qui puisse se comparer chez elle à une passion est son goût pour la langue anglaise. Mais c'est tout. C'est par défaut qu'elle a échoué dans ce métier de bibliothécaire.

Quand elle sort de l'hôtel particulier de la rue Lamarck, après sa première entrevue avec son nouveau patron, machinalement Virginie lève les yeux, et elle regarde les nuages. Elle éprouve alors un sentiment qu'elle connaît bien, qui lui plaît et l'irrite à la fois : quand on lui parle de quelque chose, quand elle regarde un documentaire à la télévision sur un écrivain, quand elle lit un article sur un peintre, tout lui paraît intéressant. Alors elle se promet d'aller au Louvre ou à Orsay, de visiter des églises ou des châteaux. Et puis quand elle y est, quand elle est seule avec ce qui lui plaisait tant à travers les autres, elle reste là, dans une sorte de torpeur fade, à ne pas savoir, à ne rien sentir. Virginie regarde ces nuages dont Akira Kumo vient de lui parler pendant deux heures. Elle essaie sans grand succès de se souvenir des noms, de reconnaître des formes. Elle ne voit guère l'intérêt de ces masses floconneuses, aberrantes, mais elle s'efforce. Elle se dit que ça viendra peut-être. Elle sent dans sa poche l'enveloppe qu'on lui a remise ; l'enveloppe contient de l'argent ; cet argent lui est destiné. Elle le dissimule au fond de son sac ; elle n'ose pas retourner sur ses pas ; elle soulèvera cette question le lundi suivant, puisqu'elle est convoquée pour le lundi suivant, mais cette fois-ci à deux heures de l'après-midi, ce qui signifie qu'elle n'est pas censée se rendre à la bibliothèque qui l'emploie ordinairement. Ce léger changement ne lui déplaît pas.

En 1821, explique Akira Kumo à sa bibliothécaire, la semaine suivante, l'homme le plus célèbre d'Europe admire passionnément Luke Howard, et va le lui faire savoir. L'homme le plus célèbre d'Europe exerce la fonction de ministre d'un grand-duc, en Allemagne. Tous les matins, dans son journal, ce grand homme note soigneusement l'état du temps, la vitesse du vent et sa direction, la configuration des nuages, la température qui règne sur le grand-duché de Weimar ; depuis longtemps le grand homme utilise la terminologie de Luke Howard. Ce grand homme est maintenant un vieillard de soixante-treize ans, mais l'âge n'a entamé en rien sa créativité ; il reste le plus grand poète, et l'un des savants les plus éminents de l'Europe. Il s'appelle Johann Wolfgang Goethe.

Depuis plusieurs années, dans une sorte de demi-secret, dans une sorte d'ivresse à l'idée qu'il va encore stupéfier le monde, Goethe élabore une science nouvelle, qu'il appelle la morphologie. Il s'est mis à penser que toutes les formes naturelles obéissent à des lois récurrentes. Il croit que le créateur du monde l'a voulu ainsi, et la jeune science des formes célébrera l'œuvre divine. Johann Wolfgang Goethe sait que bientôt l'eau de son propre corps voyagera, pour partie dans le sol, pour partie dans les airs, et cela le console de la mort. Il aime à penser que sa dépouille va nourrir des plantes, ou de petits insectes mal connus. Même il pense parfois, mais sans le dire à personne, que le cerveau des hommes a la forme des nuages, et qu'ainsi les nuages sont comme le siège de la pensée du ciel ; ou alors, que le cerveau est ce nuage dans l'homme qui le rattache au ciel. Parfois même Goethe rêve que la pensée elle-même se développe non pas, comme disent certains, à la façon d'un édifice de pierres, mais bien plutôt comme ces arborescences nuageuses qu'il admire tant, dans les cieux toujours renouvelés, au-dessus de Weimar. Parfois tout de même, il demeure en arrêt, effaré par ses intuitions folles ; il se garde bien de les confier à la plume et au papier ; et moins encore à l'imprimeur. Ces pensées-là, ce sont ses catins : Goethe sait bien qu'un homme de devoir peut bien fréquenter de telles créatures, si c'est par nécessité ; mais qu'il ne peut le faire qu'en tremblant, sans personne à qui parler.

Un soir, c'est l'avant-dernier jour de l'an 1821, Goethe a noté dans son journal qu'un conflit entre les régions supérieure et inférieure de l'atmosphère a provoqué, tôt le matin, une légère bourrasque de neige ; qu'ensuite et jusqu'à midi le vent, étant au nord-ouest, a charrié des stratus qui dans l'après-midi se sont résolus en averses de grésil ; qu'enfin la soirée est belle, mais froide, les nuées s'étant résorbées, hormis quelques cirrus. Il écrit ensuite une lettre demandant à l'un de ses correspondants de Londres, un certain Christian Hüttner, diplomate allemand en poste dans la capitale britannique, de lui donner tous les renseignements possibles sur Luke Howard ; ce qui, écrit Goethe, ne sera pas difficile, eu égard au rang éminent que doit occuper le professeur Howard dans les académies des sciences de son pays. Une prière de Goethe est pour l'obligeant Hüttner un ordre exprès : il se précipite chez ses amis savants, puis aux sièges de diverses sociétés scientifiques. Mais très vite le pauvre Hüttner se désespère car personne, à Londres, ne semble connaître Luke Howard. C'est un Quaker rencontré par hasard qui lui dit connaître un homme de ce nom-là ; homme fort pieux qui, à sa connaissance, ne s'est jamais penché sur le sort futile et beau des nuages. C'est ainsi que Luke Howard, dix-sept années après avoir autorisé la publication de *Sur la modification des nuages,* reçoit une lettre fleurie, polie mais pressante, de l'honorable Christian Hüttner, consul, lettre d'après laquelle il semble bien que l'illustrissime Johann Wolfgang Goethe tienne à le mieux connaître, qu'il l'admire depuis fort longtemps et qu'il souhaite publier un article à sa louange. Luke Howard lit et relit cette lettre, il en examine soigneusement le timbre. Puis il adopte la seule attitude raisonnable : il déchire la lettre du prétendu consul Hüttner, en souriant de l'extravagance du canular. Ensuite il n'y pense plus.

Six mois plus tard, quand Luke Howard aura reçu les poèmes écrits par Goethe à sa gloire, quand ses amis lui auront confirmé que *Sur la modification des nuages* a fait l'objet d'une traduction en allemand, le pauvre apothicaire, confus d'avoir tardé, contrit de son erreur, accédera enfin, avec empressement, à la demande du grand Johann Wolfgang Goethe ; lequel veut savoir qui est l'inventeur de cette classification des nuages dont il se sert chaque jour et qu'il admire tant, au point de la publier dans sa propre revue : Luke Howard rédige une note autobiographique assez courte, où, comme on peut s'y attendre, il est question un peu de lui-même, souvent des nuages, et partout de Dieu.

Est-ce que Luke Howard a rencontré Goethe ? demande Virginie Latour en oubliant que l'entourage de la rue Lamarck lui a bien recommandé de ne pas poser de questions au maître. Mais Akira Kumo répond aussitôt, sans en prendre apparemment ombrage. Il parle et dit qu'en fait Howard et Goethe se sont sans doute rencontrés. Qu'en tout cas ils auraient pu se rencontrer. Et c'est lui, Akira Kumo, qui a établi cette possibilité, en confrontant plusieurs documents de sa collection personnelle, principalement des lettres autographes de Goethe et le journal manuscrit tenu par Howard pendant toute la durée de son séjour en Europe, en 1816. C'est cette fois-là, la seule fois où Luke Howard a mis le pied sur le continent que la rencontre a été possible. A-t-elle eu lieu ? Toujours est-il qu'aucun des deux hommes n'en a jamais parlé. Cela n'arrête pas Akira Kumo.

Akira Kumo parle. Il parle et dit à sa bibliothécaire qu'en août 1816 Luke Howard, en compagnie de deux amis quakers, remonte le cours du Rhin. Il parvient aux portes de la ville suisse de Schaffhausen, dans la région du même nom, vers les onze heures du soir. Mais les portes de cette ville sont closes depuis de longues heures. Il faut appeler la garde, il faut longuement discuter avec elle, pour finalement obtenir l'autorisation d'entrer et de rejoindre, sous son escorte, l'auberge prévue pour faire étape. Le lendemain, à la première heure du jour, ce petit groupe de pieux voyageurs lit les Saintes Écritures ; puis tous s'assoient pour un long moment de culte silencieux, entourés de l'admiration discrète de leurs domestiques suisses, qui n'ont jamais eu à servir de touristes aussi édifiants. Cependant Luke Howard n'a pas amené ses compagnons jusqu'à Schaffhausen sans arrière-pensée. C'est qu'à cet endroit précisément le Rhin, grossi par les eaux tranquilles et glacées du lac de Constance, est précipité d'un coup d'une centaine de mètres de haut, par une faille préhistorique du sol rocheux. On dit l'endroit sublime. Des portes sud de la ville Luke Howard prend seul, au petit matin, la route des chutes. Un pont enjambe le Rhin, à cent trente mètres en amont des chutes elles-mêmes. Howard y parvient en une heure, et s'accoude au parapet de pierre noire : devant lui le fleuve semble disparaître dans des bruines irisées. Sous cette vapeur les flots paraissent brutalement aspirés, à l'endroit où le relief accuse sa brutale dénivellation. Là subsistent trois îlots, comme échappés d'un naufrage, recouverts d'une végétation foisonnante d'un vert intense, presque bleu. Le bruit est si fort que Luke Howard ne peut s'empêcher de vouloir s'en approcher encore. Il traverse le pont et gagne la rive orientale du fleuve, d'où l'on découvre toute la vallée. Le visage giflé par les embruns, doucement enivré par le rugissement continu des flots, il emprunte un sentier de chèvres qui le mène un peu en contrebas des chutes, sur un escarpement où l'on a planté une barrière de bois, gonflée par l'humidité. Il est maintenant à un pas des flots qui s'abîment quatre-vingts mètres plus bas ; l'eau est noire et semble ici presque solide, minérale. Une fois de plus, Howard est profondément étonné non seulement de la beauté déchirante du monde physique, mais aussi de cette puissance gratuite, de cette exubérance joyeuse de la Nature. Il en rend grâce au Seigneur, comme à son habitude, et se plonge dans une oraison fervente, seul face aux chutes, heureux.

Maintenant s'avance sur sa gauche une compagnie qui, c'est un comble, parvient à se montrer bruyante en ce lieu. Luke Howard réprime une pensée peu charitable à l'égard de ces citadins en goguette. Il observe sans les comprendre ces jeunes femmes trop bien vêtues, ces hommes cambrés comme des coqs, qui paradent autour d'elles et feignent de se pencher sur le gouffre pour arracher à leurs compagnes de grands cris perçants. Des domestiques en nombre les abritent, sous de grands parapluies de toile goudronnée. La compagnie se lasse vite des chutes de Schaffhausen, et remonte. C'est alors seulement que Luke Howard avise un homme âgé, appuyé sur la barrière de bois, à vingt pas de lui sur sa droite, penché vers l'abîme. En ce temps d'avant la photographie, tous les voyageurs savent dessiner un peu ; sur son carnet de voyage abrité derrière un pan de sa pèlerine, il croque le vieillard courbé vers le vide. L'homme seul sent peut-être ce regard posé sur lui ; il s'arrache à sa contemplation, il se redresse, esquisse un léger salut et sourit à Luke Howard. Puis l'on entend des appels confus, et Luke Howard comprend enfin que le vieillard est venu avec cette troupe bruyante qu'il rejoint maintenant à petits pas tranquilles.

Luke Howard ne sait pas qu'il vient de voir Goethe, ni Goethe qu'il vient de voir Howard. Mais cela n'a pas vraiment d'importance. Les solitaires n'ont rien à se dire ; il suffit que chacun d'eux ait communié, silencieusement, dans la contemplation des brumes irisées de Schaffhausen. Et ce sera tout pour aujourd'hui, ajoute le couturier en se levant d'un seul mouvement. Virginie Latour et Akira Kumo prennent congé l'un de l'autre. Au rez-de-chaussée une assistante l'attend pour lui remettre une enveloppe bleue, qu'elle prend ; sur le perron de l'hôtel, où cette fois elle s'est arrêtée pour l'ouvrir, Virginie revient sur ses pas. L'assistante qui vient de la payer est déjà en réunion. Un autre assistant écoute poliment Virginie Latour. Elle fait valoir qu'elle est toujours payée par la bibliothèque, qu'elle est seulement détachée, et à l'essai, auprès de M. Kumo. L'assistant répond que cela ne change rien. Elle précise qu'elle perçoit toujours son traitement de fonctionnaire titulaire, catégorie B. On lui répond que l'enveloppe est une indemnité. Elle continue de protester, puis cesse, car l'assistant finit par la regarder de cet air que Virginie connaît bien, et qu'elle suscite fréquemment chez ses interlocuteurs ; un air qui signifie à Virginie Latour qu'elle devrait réfléchir, et ne pas sottement s'obstiner. Virginie cède.

Dans le métro elle compte l'argent, en le cachant dans son sac à main ; cette indemnité représente un mois de son salaire habituel. Comme ceux de tous les semi-pauvres, les revenus de Virginie Latour se présentent généralement sous la forme la plus économiquement désavantageuse, la plus humainement vexatoire qui soit : le salaire. Après un bref instant d'affolement à l'idée de disposer de cet argent d'un type nouveau — un argent qui lui paraît usurpé, puisque après tout il lui semble bien n'avoir pas commencé le travail nébuleux dont on lui a parlé —, Virginie se fait une raison. Le lendemain matin à neuf heures, elle le dépose sur un compte épargne.

De retour chez elle, Virginie Latour appelle son grand patron, ainsi qu'il le lui a demandé, le directeur de la bibliothèque soi-même, sur son téléphone personnel et portable, pour lui raconter comment les choses se sont passées. Pendant trente secondes le directeur temporise, parce qu'il ne se souvient absolument plus qui est Virginie Latour. Puis, en entendant le nom du couturier, le directeur resitue immédiatement. Le directeur est ravi. Il parle et Virginie ne dit rien, excepté oui, et non, car elle ne se souvient plus si elle doit appeler le directeur par son titre ou par son nom. Elle finit quand même par glisser la question qui lui tient à cœur : quel est exactement son statut, désormais ? Détachée. Elle est détachée.

Cette fois, la journée de travail de Virginie est terminée. Elle pose son téléphone, elle va prendre une douche, elle s'allonge sur son canapé-lit qui est resté ouvert depuis le matin. Et, comme souvent, elle regrette de ne pas fumer, pour pouvoir faire passer le temps. C'est là qu'elle prend lentement conscience de ce que signifie son nouveau travail, de ce qu'il implique : Virginie vient de travailler environ quatre heures, c'est-à-dire que pour l'essentiel elle a écouté Akira Kumo lui parler des nuages, en examinant de-ci de-là le dos de quelques livres ; elle vient de travailler quatre heures et sa semaine est finie, puisque le couturier ne peut la revoir que le vendredi ; il lui faudra peut-être, dans le courant de la semaine, passer une fois à la bibliothèque, pour une vérification, pour prendre les fournitures nécessaires à la réfection d'un ouvrage abîmé ; et ce sera tout.

Il est encore un peu tôt pour que Virginie prenne toute la mesure de ce changement. Spontanément elle se contente d'être contente, et remet à un autre jour l'élaboration de l'emploi de tout ce temps. Mais, au bout d'une heure à rêver dans son lit, elle ne sait toujours pas comment en disposer. Elle se raccroche à l'idée que ce lundi soir est une sorte de vendredi soir, qui précède un week-end de trois jours. Or c'est le vendredi soir que Virginie effectue un rituel privé dont elle n'a jamais parlé à personne ; un rituel qu'elle réserve aux seuls vendredis soir, même si c'est ce qu'elle préfère au monde, parce qu'elle a l'impression de commettre un geste dangereux, parce que ce rituel plonge ses racines dans la nuit de son enfance. Virginie se lève et se rend dans la cuisine d'où elle ramène un sac plastique de supermarché ; avec de petits ciseaux de couture elle l'ouvre en deux. Puis elle l'étale sur son canapé-lit, et s'allonge, après avoir ôté sa culotte et son soutien-gorge, en plaçant son bassin bien au centre du sac éventré ; le premier contact du plastique est tout à fait désagréable, mais elle n'a jamais trouvé mieux. Ensuite elle prend dans le tiroir de sa table de nuit une pochette de soie ourlée un peu plus large que sa main. À partir de là, et bien qu'elle ait déjà effectué ces gestes des centaines de fois, c'est toujours la même magie qui opère, et elle s'irriterait presque à l'idée d'être l'esclave d'un procédé aussi étrange et aussi simple, à constater que l'équation de son plaisir possède des inconnues aussi baroques, et vexantes. De sa main droite elle écarte les poils de son bas-ventre, de la gauche applique la pochette de soie sur son sexe, et se met lentement à frotter. L'effet est immédiat, et sûr, et toujours le même. Virginie tremble. Elle ressent des picotements dans les doigts, une chaleur douce irradie sa gorge et descend vers ses cuisses. Parfois la jouissance vient très vite, mais c'est agaçant, et elle se relève alors aussi excédée que honteuse de l'être. Parfois la jouissance monte lentement, et c'est aussi délicieux qu'épuisant, et quand le plaisir finit par arquer son corps, elle retombe, suffoquée, et demeure immobile, dans des limbes très doux, hors du temps.

Lorsque Virginie revient à une conscience plus nette de sa situation, à cause d'un téléphone qui sonne ou d'un chien qui aboie, une sensation d'humidité poisseuse, et de plus en plus froide, se fait insistante, à la hauteur de son bassin. C'est le moment qu'elle déteste ; le sac plastique colle à ses cuisses et à ses fesses. Elle baigne dans une véritable petite flaque de liquide. Ce n'est pas de l'urine. Elle le sait pour y avoir un jour goûté, sans excitation ni répugnance. Ce liquide est trop abondant pour être le résultat normal d'une excitation normale, pour autant qu'elle peut en juger. Virginie ignore que les normes, lors même qu'elles se présentent comme le bien commun, ou peut-être surtout dans ce cas-là, sont précisément conçues pour exclure le plus grand nombre. Elle se croit donc seule à jouir ainsi, et cette solitude l'inquiète vaguement ; elle trouve heureux qu'aucun homme n'ait jamais déclenché chez elle cette réaction. En se cambrant lentement, Virginie décolle le sac de sa peau et, selon sa technique éprouvée, elle quitte son lit en maintenant d'un doigt une dépression au centre de la poche de plastique, où clapote le liquide incolore. Elle replie soigneusement le sac par ses coins, le transporte dans la cuisine, le rince dans l'évier et le jette. Elle lance une lessive, où elle ajoute son carré de soie froissé et humide. Un coup d'œil à l'horloge du magnétoscope. Elle se dépêche, il ne lui reste qu'une poignée de minutes, elle aère un peu. Elle va s'asseoir au salon avec un magazine, sur le canapé-lit qu'elle a replié.

Le bruit de l'ascenseur, les clefs, celle du verrou d'abord, celle de la serrure. La porte qui claque. Voilà un homme jeune. L'homme jeune entre, il dit bonjour à la femme jeune qui lit *Marie-Claire* sur le canapé et qui se nomme Virginie Latour, il va prendre sa douche sans laquelle il est de mauvaise humeur en rentrant du boulot. Ensuite l'homme jeune, en s'essuyant les cheveux avec la serviette pour le corps, comme d'habitude, pourtant il ne le fait même pas exprès, Virginie l'a vérifié en changeant les serviettes de place, ce doit être un sixième sens chez lui, l'homme jeune demande à Virginie si ça va. Sans prendre le temps de réfléchir elle déclare que ça va. Et lui ? Lui non, c'est lundi, quand même. Est-ce qu'il veut un thé ? Il préfère une bière. Il va avoir une bière tout de suite. Elle s'aperçoit, sur le chemin du retour, la bière à la main, qu'elle a oublié qu'elle-même désirait un thé. Elle repart vers la cuisine.

L'homme jeune et maintenant propre est sorti de la salle de bains vêtu d'un caleçon à fond blanc rayé de bandes verticales d'une taille variant entre deux et neuf millimètres ; les couleurs des rayures sont les suivantes : trois nuances de bleu, deux nuances de gris ; les fabricants ont imprimé sur la plus grosse de chacune des rayures bleues six effigies d'un personnage de dessin animé, une sorte de souris asexuée, qui se tient debout, avec ses quatre doigts à chaque main, avec ses oreilles stylisées, noires, sur ses pieds simplifiés, et qui sourit largement. L'homme est maintenant affalé sur le canapé ; il fait machinalement claquer l'élastique de son caleçon ; ses pieds reposent sur une petite table basse qui était très jolie quand elle était neuve, le mois dernier. Il regarde les informations régionales pour connaître le temps qu'il fera demain ; de la cuisine, Virginie lui dit qu'elle va quitter provisoirement son travail pour vivre une nouvelle expérience, puis elle s'interrompt et se mord les lèvres, car l'homme en caleçon sur son canapé n'aime pas qu'on lui parle pendant les informations régionales, et surtout pas pendant le bulletin des prévisions météorologiques. Virginie devrait le savoir, depuis le temps. Elle espère qu'elle n'a pas parlé tout à fait assez fort, que l'homme a pu prendre connaissance des prévisions météorologiques dans des conditions idéales, parce que l'expérience prouve que, dans le cas contraire, il est parfaitement capable de ne plus lui adresser la parole pendant une heure, voire davantage.

À la grande surprise de Virginie Latour, à peine s'est-elle tue que l'homme spectateur, jeune et propre, a éteint la télévision. Elle l'entend se lever, il vient dans la cuisine, elle est en train de verser l'eau dans la théière, elle entend dans son dos l'homme qui dit : je suis content que tu en parles. Il dit que lui aussi il a besoin de nouvelles expériences, il rappelle à la femme qu'ils se l'étaient bien promis au début, de se le dire dès que ça n'irait pas, et justement dit l'homme jeune ça ne va pas. Elle se retourne. L'homme debout devant elle ne la regarde pas vraiment en face, mais il continue à parler : l'homme a demandé à son copain Fred, celui qui part pour trois mois de formation en Allemagne, les clefs de son logement ; l'homme va habiter chez Fred, le temps de se retourner, naturellement ils pourront toujours se voir, passer de bonnes soirées, reprendre une relation peut-être, au moins de temps en temps. Normalement Virginie devrait dire ou faire quelque chose. Elle devrait dire à l'homme en caleçon qu'il a mal entendu, qu'elle n'a pas dit « il faudrait qu'on se quitte ». Ou alors elle devrait le frapper, pour commencer, par exemple parce qu'elle a entretenu cet homme pendant un an, le temps qu'il réfléchisse à ce qu'il voulait faire dans sa vie, et que justement il part au moment où il vient de trouver un emploi qui l'intéresse. Au lieu de cela elle retourne au salon. Elle dit qu'elle est contente qu'il prenne leur séparation si bien. L'homme revient finir sa bière au salon, et décidément il est en verve ce soir. Il dit que c'est mieux ainsi ; qu'ils ont su éviter le sordide des séparations. Mais, comme Virginie est d'accord, il est soudainement moins d'accord, il commencerait bien une dispute, il lui dirait par exemple qu'elle n'a vraiment pas de cœur, de prendre les choses comme ça, mais il va être neuf heures. À neuf heures il y a un film de Steve Mac Queen que l'homme ne raterait pour rien au monde. L'homme et Virginie déplient le canapé-lit, et l'homme regarde son film. Plus tard, la perspective de la séparation provoque chez l'homme, qui a ôté son caleçon pour dormir, une réaction classique : il bande, il est très excité. D'un bras il attire Virginie qui se trouve à côté de lui, en restant sur le dos, en regardant ailleurs, et elle sait ce que cela veut dire. Elle a toujours aimé le goût du sperme, pourquoi se priver ? Pour se distraire elle décide qu'elle va le faire jouir le plus vite possible. Deux minutes plus tard, l'homme dort.

Le mardi soir, quand Virginie revient du cinéma, l'homme jeune est parti. En rangeant un tiroir le mois suivant, elle s'aperçoit qu'elle ne possède aucune photographie de cet homme ; elle cherche à se remémorer ses traits, sa voix ; elle ne peut pas. C'est un peu triste, évidemment ; mais ce n'est pas grave, en fait. Les jours suivants elle se promène ; elle redécouvre le plaisir de voyager en métro, parce qu'elle peut le prendre en dehors des heures de pointe. Elle attend vendredi, avec curiosité. À plusieurs reprises elle consulte Internet au sujet de l'individu Kumo, Akira. On trouve de tout sur Internet. Virginie s'instruit.

À l'aune d'Internet, Akira Kumo jouit d'une célébrité de taille moyenne : un millier de pages lui sont consacrées, et la plupart recopient, mal, les informations du site officiel, ainsi que celles colportées par les inévitables fanatiques. Akira Kumo se trouve d'ailleurs évoqué dans les sites les plus étranges, et Virginie Latour ne tarde pas à comprendre pourquoi : pendant des années il a rassemblé les collections les plus hétéroclites : il s'est intéressé aux tournebroches savoyards, aux saris traditionnels de soie sauvage et aux opales australiennes, aux tapisseries des Gobelins et aux vases Ming. Sa collection la plus commentée ayant été une reconstitution, sur un étage entier de son hôtel particulier, d'un intérieur du dix-huitième siècle français : des petites cuillères au mobilier, en passant par les lithographies galantes.

À partir de 1995 pourtant, le couturier a commencé à se défaire de ses collections, une à une, créant chaque fois l'effervescence dans les microcosmes spécialisés correspondants. Le terme dernier de ce lent dépouillement ayant été la vente, chez Sotheby's à Londres, du mobilier Régence, des lithographies de Boucher et de Watteau. Internet est la terre de rumeurs invérifiables et des discussions oiseuses ; car la dispersion, en l'espace de deux ans seulement, des collections d'Akira Kumo, a fortuitement coïncidé avec la semi-retraite du couturier, alimentant les rumeurs habituelles : on l'a dit ruiné, fou, malade ; et tout cela ensemble. Dans ce tumulte, les internautes semblent avoir largement négligé la seule anomalie véritable : en septembre 1997, Akira Kumo a commencé une nouvelle collection, et une seule, et provoqué une flambée des cotes qui ne semble pas l'avoir préoccupé, en achetant massivement tout ce que le marché mondial peut comporter d'ouvrages météorologiques, jusqu'à posséder la plus belle collection privée dans ce domaine.

Sur l'homme lui-même, peu de choses. Akira Kumo est né au Japon, dans la ville d'Hiroshima, en 1946. Quand on lui demande de quelle ville il est originaire, il répond parfois Tokyo, pour ne pas refroidir son interlocuteur et pour s'épargner le spectacle ridicule des mines douloureuses que les Occidentaux se croient obligés d'adopter quand on prononce devant eux le nom d'Hiroshima. Il semble d'ailleurs qu'Akira Kumo au surplus ne déteste pas mentir, du moment que le mensonge porte une vérité supérieure à celle des faits objectivement constatables. Au demeurant, s'agissant du lieu de sa naissance, il n'a pas l'impression de mentir du tout. C'est bien à Tokyo qu'il considère être né, mais en 1960, à l'époque où il a appris son premier métier, graphiste.

Les journalistes de mode répètent que très vite, en 1966, il a quitté le Japon et le graphisme pour se mettre à la rude école de la haute couture ; à vrai dire, c'est plutôt l'inverse : si Akira Kumo a choisi la haute couture, c'est qu'il cherchait un moyen de quitter le Japon pour l'Europe. Ensuite le choix du pays d'Europe a été dicté par d'autres considérations : il n'est pas venu en France seulement pour des raisons professionnelles. Quand il s'installe à Paris, Kumo vit depuis longtemps une autre passion que le design : déjà à Tokyo, alors qu'il gagne sa vie en dessinant des modèles de bols et de couverts pour des fabricants de vaisselle de grès, il porte le premier argent qu'il gagne à une prostituée occidentale, une femme débordante de graisse et de bonne humeur, native d'un faubourg de Paris en France, rescapée d'un bordel militaire, établie désormais à son compte. Le jeune Akira l'a repérée depuis longtemps, qui travaille à la périphérie du quartier des plaisirs de Tokyo, au milieu de ses consœurs japonaises, faussement indifférentes à cette étrangère qu'elles détestent. Ce n'est pas par dégoût des professionnelles du cru qu'Akira Kumo choisit la Française ; il aime passionnément, et depuis toujours, la prostitution japonaise, qui par tradition n'attache à la sexualité aucune idée malsaine, aucun sens du péché. Simplement, aussi loin qu'il s'en souvienne, Kumo a préféré les femmes occidentales. Et, quand il se met à coucher avec elles, il est confirmé dans ses goûts. Les Japonaises ne sont ni assez bruyantes ni assez poilues à son goût ; de plus elles cultivent, pour complaire à leurs clients habituels, le goût du petit, du mignon et du mignard ; et tout cela ne l'attire guère.

C'est ainsi que le jeune Akira Kumo a été l'un des rares Japonais à vivre parfaitement bien l'occupation américaine, une fois qu'il s'est aperçu que cette armée, comme les autres, a traîné avec elle, à travers tout l'océan Pacifique, un long cortège de femmes attirées par les dollars du nouvel empire. Dès qu'il le peut, Akira Kumo paie avec enthousiasme et largesse les services de toutes ces dames : il y a des Noires qui sont pour lui des nouveautés inépuisables ; il y a aussi les Mandchoues, les Européennes des colonies hollandaises, françaises ou britanniques. Il aime baiser les femmes petites parce qu'il est facile de les tenir solidement, il aime baiser les femmes grandes et grosses et s'y perdre, il aime les bavardes et celles qui se taisent. Plus tard, devenu riche, quand il pourra enfin payer assez cher pour obtenir des faveurs de traitement, il passera des heures exquises, la tête entre des jambes ouvertes, la nuque endolorie. Pour l'instant le jeune Akira Kumo est assez mal payé et, dans les milieux tokyoïtes de la confection, devient vite célèbre pour ne jamais refuser un travail, pour le faire vite et bien. Il sourit et s'incline bien bas quand un patron le félicite de son zèle en lui tendant une enveloppe, à la fin de la semaine. Et l'argent gagné s'évapore dans les rues du quartier des plaisirs, à partir du vendredi soir. Le dimanche au petit matin Akira Kumo vient se glisser sans bruit dans la chambre qu'il occupe, dans un foyer de jeunes travailleurs pauvres, il s'effondre sur son matelas. Il tâche de dormir toute la journée, il boit du thé brûlant pour tromper la faim car il n'a plus un sou. Le lundi très tôt, il descend dans la pièce commune du foyer. Il n'attend jamais plus d'une heure : un coursier vient toujours lui porter une proposition de travail. Au bout de deux ans de ce régime, Akira Kumo maîtrise toutes les techniques de son métier.

En arrivant à Paris en septembre 1966, Akira Kumo étudie un plan de la ville, pour y repérer les gares. Il en repère deux côte à côte, sur la rive droite du fleuve qui traverse Paris. Il prend une chambre dans un petit hôtel de la rue Montorgueil. Ensuite il se dirige à pied, vers les gares du Nord et de l'Est, et sa méthode porte tout de suite ses fruits : dans la première rue qu'il emprunte des prostituées attendent ; il remonte vers une sorte de petit arc de triomphe sale, qu'il prend pour celui des Champs-Élysées ; un peu avant de déboucher sur le boulevard, il s'engage à droite, dans une rue très sombre. La rue Blondel est bordée de mini-jupes et de corsages échancrés ; le jeune Japonais jette son dévolu sur une brune postée à l'angle qui donne sur un boulevard sinistre, bruyant et encombré. Akira Kumo pratique son français. Un Japonais résidant à Paris, dans les années soixante, est une attraction. Les filles parlent de lui entre elles, échangent des impressions. Bientôt il les connaît toutes, celles du passage du Ponceau et celles de la rue Saint-Denis, celles de la rue Blondel et de la rue Quincampoix. Il sait qui ne travaille que le matin, qui n'officie que le soir.

Soumise au régime de vie un peu particulier d'Akira Kumo, la bourse d'études allouée par le Syndicat japonais du textile dure dix-sept jours.

À la fin du mois de septembre il doit travailler : le quartier Saint-Denis compte alors au moins autant de prostituées que de tailleurs, et Kumo paie les unes avec l'argent des autres. Pour lui, Paris est cette zone bordée à l'est par le boulevard de Sébastopol, au nord par la porte Saint-Denis, au sud par la rue de Turbigo. Il travaille pour des fabricants de vêtements minables, mais peu lui importe.

Un jour de décembre 1966, Akira redescend d'une chambre dans le passage Sainte-Foy, et se dirige vers la rue Saint-Denis. Le passage Sainte-Foy est une venelle lépreuse, tellement puante et sordide qu'elle donne au Japonais l'impression délicieuse de n'être plus un touriste dans la ville, de connaître Paris, d'aller là même où un Parisien aguerri ne se risquerait pas ; effectivement, aucun Parisien ne s'y risque. Dans ce boyau immonde au pavé inégal où croupissent des détritus innommables, des chats pelés et teigneux prospèrent. Le passage est couvert, sur une moitié de sa longueur, de tôles ondulées ; on sent les frites recuites, la misère des taudis et la semoule rance. Un bruit sourd attire l'attention d'Akira vers un recoin obscur. C'est un homme en costume ; il tient d'une main la tête d'une femme qui se trouve à terre et, penché sur elle dans une posture assez inconfortable, il la frappe méthodiquement ; il frappe à des endroits qui font très mal, mais jamais à la face ou au ventre. C'est un professionnel qui n'abîme pas sa force de travail. La prostituée, elle, ne bouge pas ; elle semble résignée, en gémissant sous ses coups, elle paraît attendre que l'homme ait fini son travail de maquereau.

Akira Kumo frappe l'homme avec l'avantage de la surprise, mais il n'a pas à le combattre. L'autre s'enfuit en pleurnichant, en proférant de vagues menaces. La fille, elle, se met à proférer d'affreuses injures. Comme il parle encore mal cette langue qu'il a apprise seul, à Tokyo, Akira ne comprend pas tout de suite que les injures s'adressent à lui : le maquereau va penser peut-être qu'ils sont de mèche, et de toute façon elle sera punie à cause de ce crétin de justicier bridé. Jusqu'à ce jour Akira Kumo était honorablement connu de tout le quartier, et les messieurs le saluaient comme un notable. La fille lui explique clairement les choses : il ne pourra plus se présenter dans le quartier sans risquer d'être tabassé par une bande de proxénètes courageux, munis de barres de fer et de couteaux à lames rétractables. Pour Akira Kumo c'est la fin de la période Saint-Denis. Il n'aime pas Pigalle, déjà trop touristique à son goût ; et moins encore le quartier de la Madeleine, avec ses filles prétentieuses qui rêvent qu'un client les épouse, un jour.

Cet incident prive aussi Akira de son gagne-pain du Sentier. Il entre alors comme troisième assistant dans une maison de l'avenue Montaigne. Il se remet à dessiner, mais pour lui seul : des robes, des pantalons, des tuniques. Et pendant des semaines il est chaste : il pourrait aisément trouver, dans le Paris de la mode des années soixante, des compagnes d'un soir, ou de plusieurs. Mais il ne supporte pas la comédie sentimentale, toutes les pavanes de la séduction que l'on doit jouer pour s'introduire, même brièvement, sous les jupes des dames. Akira Kumo se met au travail.

Durant l'été 1967, un défilé l'amène à Amsterdam comme assistant personnel d'un célèbre couturier français. Akira déserte les réceptions dès qu'il le peut, et il file vers le quartier rouge. Amsterdam, le seul endroit au monde, peut-être, sans proxénètes : Akira Kumo vient de trouver sa ville. À l'ouest de la gare, autour de deux canaux, et dans le dédale de ruelles avoisinantes, travaillent un bon millier de filles. Par la suite, tous les ans, il se rend à Amsterdam, seul, pendant une semaine, discrètement. En un jour, il visite d'ordinaire une demi-douzaine de prostituées, à moins qu'il ne loue les services de l'une de ses préférées pour la demi-journée. D'année en année il éprouve une affection et un respect grandissants pour ses femmes. Il finit par les connaître personnellement, il suit la scolarité de leurs enfants et les tribulations de leur vie amoureuse. Amsterdam est le seul endroit au monde où Akira Kumo pratique des conversations normales. Parfois, le soir, quand il est le dernier client, il attend la fille qui range son studio, et ils s'en vont souper dans un petit restaurant indonésien qui ne ferme jamais. La semaine écoulée, il revient à Paris, il travaille, constamment et, jusqu'en 1970, toujours pour les autres.

Il faut être un peu bête, dit Akira Kumo à Virginie Latour, et l'être avec une sorte d'obstination irraisonnée, pour s'intéresser aux nuages. Pour la plupart des personnes de bon sens, les nuages sont là. Et puis c'est tout. Que dire d'autre ? Ils font partie du décor. Il n'y a pas de raison de les considérer avec davantage d'attention. Pour la plupart des gens, il n'y a rien d'étonnant dans les nuages, il n'y a rien à en attendre ; sinon de l'eau, sous différentes formes. Les hommes ne regardent les nuages que pour guetter la pluie, soit qu'ils l'attendent avec une impatience fébrile, soit qu'ils la redoutent comme une catastrophe. Les progrès de la civilisation occidentale les ont encore détournés davantage de l'observation du ciel : dans cette partie du monde les hommes consultent leur poste de radio ou de télévision pour savoir comment s'habiller. En de rares occasions, ces hommes sont touchés par la beauté absolue des nuages. C'est par exemple quand le ciel est bleu et que, allongés dans l'herbe d'un parc, ils ont fini de pique-niquer ; ils se sont renversés en arrière ; ils regardent les nuages passer, et fugitivement les admirent, en digérant. Ils ne pensent à rien. Et ils n'ont pas forcément tort. Une forme de bêtise habite toute pensée ; et donc, le désir de comprendre les nuages.

Dès son âge le plus tendre, Luke Howard a aimé les nuages. On peut se demander pourquoi. Rien ne le prédisposait à se livrer à la moindre excentricité, à la plus petite déviation. On sait que de sa vie jamais il n'a assisté à des spectacles profanes ; il ne lit pas non plus de prose ou de vers. Il appartient à cette Société des Amis qu'en un jour déjà lointain un juge sarcastique a nommé les Quakers, parce qu'ils tremblent parfois, respectueusement, à la pensée de la puissance de leur dieu. Peut-être Luke Howard tremble-t-il plus particulièrement devant les nuages, peut-être cet effroi délicieux l'étonnet-il, peut-être se raisonne-t-il en se disant que ces blancheurs qu'il aime à la folie sont l'incessante incarnation de la perfection divine. C'est avec ferveur qu'il lève vers les nuages ses yeux purs.

Un jour à Londres, un dîner l'a placé près de l'un de ces journalistes qui vivent de rendre compte des spectacles de théâtre donnés dans la Cité. Ce jeune mondain, accoutumé à confondre conversation et confrontation, se met absurdement en tête, dès l'instant où il apprend que Luke Howard est l'un de ces mystérieux Quakers, de le traîner au théâtre ; Luke Howard refuse poliment. L'autre insiste, et pour le convaincre prend la peine de lui raconter longuement la pièce qui va ouvrir la saison, à Londres. Il s'agit d'un spectacle étonnant, qui conte la tragique histoire d'Hamlet, prince du Danemark. Luke Howard écoute patiemment son interlocuteur, qui tâche de l'intéresser au sort de Rosencrantz et de Guildenstern, ces courtisans naïfs, à celui de la pauvre Ophélie et de son égarement, aux tribulations du jeune prince mélancolique. Cette histoire de fer et de sang, il la juge profondément inconvenante, et peu claire d'ailleurs, mais par délicatesse il ne s'ouvre pas à son voisin de table de ces sérieuses réserves. Il se contente de confier à son interlocuteur qu'à son avis ce malheureux prince Hamlet doit susciter notre pitié, mais en aucun cas notre admiration. Qu'en effet il n'est pas d'un bon chrétien de prendre les armes, ni de prendre sur soi d'accomplir la vengeance divine au lieu de laisser la Providence s'occuper des moyens et des fins de cette vindicte. Luke Howard voit d'autant moins la nécessité d'assister à une représentation de la pièce puisqu'il sait, grâce à son interlocuteur, que le jeune prince Hamlet a été puni de son orgueil ; et grâce à Dieu Fortinbras a rétabli l'ordre au royaume du Danemark. Le jeune critique, effaré, renonce à débaucher son voisin de table. Luke Howard n'ira pas au théâtre.

Luke Howard ne reste pas oisif, aux heures que l'exigeante pharmacie ne lui dérobe pas. Les Quakers sont pacifistes, mais ce sont des pacifistes actifs, patients, courageux. En 1816 — c'est toujours ce même voyage du côté de Weimar qui fait rêver Akira Kumo —, il est envoyé en mission sur le continent européen dévasté par les guerres napoléoniennes. Il est chargé de diffuser la Bible, comme doit faire tout membre de la Société des

51

Amis en voyage, et de porter des subsides aux victimes des combats, quelle que soit leur nationalité. Il s'est permis en tout et pour tout deux petites fantaisies : l'excursion aux chutes de Schaffhausen, la visite de Paris, dont on lui a rebattu les oreilles du jour où il a annoncé qu'il se rendait sur le continent. Le samedi 24 août 1816, Howard parvient à Paris ; il descend à l'hôtel de Rastadt, rue Neuve-des-Augustins. Il engage un guide pour trois francs. Les guides parisiens, tous les voyageurs de ce temps le savent, exercent aussi la fonction d'indicateurs de police ; Luke Howard l'ignore, et répond tranquillement à toutes les questions du sien. Le dimanche il visite le Jardin des Plantes, qui s'appelle de nouveau le Jardin du Roi. Son guide s'impatiente de cet étrange visiteur qui ne veut ni boire ni s'encanailler, et qu'on ne peut pas dénoncer ; vers dix heures du matin Luke Howard le renvoie chez lui, avec un pourboire solide. Le dimanche 25 août, c'est la Fête du Roy ; excepté deux heures le matin, qui sont celles de la messe, les Parisiens vivent ce jour comme un autre : ils s'assoient dans les cabinets de lecture, dans les cafés, dans les restaurants ; ils se promènent en fumant, ils regardent les spectacles de rue. Luke Howard, lui, observe avec tristesse ces Parisiens insouciants, leur tranquille impiété ; il conclut avec mélancolie qu'ils ne seront jamais quakers, et remercie Dieu de n'être pas né parisien. Il écourte son séjour, et retourne à Londres, qu'il ne quittera plus jamais.

Bientôt, Virginie Latour se sera habituée. Elle traversera le porche dallé de pierres grises où il fait toujours un peu frais ; à droite, des portes grandes ouvertes sur des bureaux bourdonnants, sur des réunions studieuses. Dans une sorte de vestibule au bout du porche, un escalier tournoie paresseusement vers des étages inconnus ; mais c'est par un minuscule ascenseur gris, donnant directement dans la bibliothèque, que la jeune femme monte au dernier étage. Cette bibliothèque occupe l'ancien grenier de l'hôtel particulier de la rue Lamarck. Les meubles sont rares : le fauteuil du propriétaire est flanqué d'une simple petite table ; devant la baie vitrée qui a été aménagée dans la face nord du toit, on a installé une grande table, pour la consultation des ouvrages volumineux, et un lutrin moderne, en acier brossé. Enfin, une chaise de bureau, qui ne s'harmonise pas avec le reste, et qui se révèle étonnamment confortable, est réservée à Mlle Latour.

La bibliothèque est une pièce spéciale, construite d'après les indications de son propriétaire : une sorte de sas la sépare du reste de l'hôtel particulier, protégeant le silence et l'hygrométrie du lieu. Chaque fois qu'elle entre, Virginie Latour se dirigera vers l'immense baie dont le vitrage est si propre, si diaphane, qu'il semble inexistant. Elle s'en approchera jusqu'à la toucher : l'architecte a curieusement choisi d'orienter la baie vers le nord, de tourner le dos au cimetière Montmartre, à Paris tout entier ; à cet endroit de la rue Lamarck les immeubles, qui datent du début du siècle dernier, n'ont que deux ou trois étages, et l'hôtel particulier les surplombe de loin ; la ligne du ciel est ainsi dégagée, par-delà le cimetière de Saint-Ouen ; des banlieues, abjectes et noires, semblent minuscules dans le paysage ; à main droite, un vaisseau immaculé sous le soleil paraît s'être à l'instant posé : le Stade de France. Parfois un avion dessine à travers l'horizon un délicat trait blanc, légèrement oblique, vers une destination inconnue.

Le premier jour, Virginie s'est aperçue brusquement qu'un homme se tenait à sa droite. Elle s'est tournée vers lui et lui a souri. Un homme petit, très sec, presque décharné, qui se meut avec une élégance tranquille et des lenteurs d'iguane. Presque sans autre forme de procès, il s'est mis à lui parler. Il a dit que, pour ranger sa bibliothèque, il convenait de comprendre à quoi exactement elle est consacrée. Les coups de foudre existent en amitié plus souvent, plus sûrement qu'en amour. Virginie Latour aime immédiatement cette voix douce et boisée, légèrement flottante ; Akira Kumo n'a cessé de parler, de Londres et des nuages, d'un certain Luke Howard.

54

La semaine suivante, Akira Kumo l'attendait en haut. Virginie Latour se demande s'ils ne devraient pas commencer le classement. Mais il semble que le vieil homme ne soit pas pressé. Il a repensé à la question de Virginie Latour. Il souhaite y revenir, et compléter sa réponse. Il revient à cette question : est-ce que Goethe et Howard se sont rencontrés ? Au sens où on l'entend généralement, non. Mais ils ont communié dans l'amour des nuées, et c'est assez. Sinon naturellement ils sont seuls, comme tout le monde, et sans doute moins que tout le monde, parce que leurs déserts sont peuplés du travail de leurs jours.

Akira Kumo continue de parler ; il dit que, pour comprendre comment Howard a inventé les nuages, il convient de remonter au printemps 1794. En ce temps-là il travaille depuis quelques années comme préparateur dans une pharmacie de Londres. Il fabrique des sirops et des pansements, pour l'essentiel, dans cette odeur humide et sucrée où domine le camphre, et qu'il a fini par aimer. Un pot d'arsenic se trouve, hors de portée des profanes, sur la plus haute des étagères de l'arrière-boutique. C'est au moment précis où il saisit ce pot que Luke Howard tombe, presque du haut de l'échelle dont les pieds, mal assurés, ont glissé dans la sciure. Le pot atteint le sol avant Howard et malheureusement il choit sur les tessons, qui lui entaillent la cuisse droite, jusqu'à l'artère ; la douleur est telle qu'il s'évanouit. Il restera inconscient pendant deux jours. On pense d'abord ne pas pouvoir le sauver car les plaies, enflammées par l'arsenic, présentent d'énormes purulences. Cependant, contre toute attente, les abcès finissent par crever d'eux-mêmes dans une puanteur abominable et, soigneusement drainée et lavée, la cuisse cicatrise. Pendant ces deux jours Luke Howard est resté plongé dans des délires plaisants : il est mort et des anges du Paradis, prenant pitié de sa souffrance, l'ont porté directement au Ciel. Pendant six semaines il ne pourra travailler ; on le renvoie à la campagne, dans sa province natale du Yorkshire.

Luke Howard n'a pas revu son village depuis dix ans, depuis qu'il a trouvé à se placer à Londres, dans la pharmacie du 2, Plough Court. Le père Howard reçoit son fils avec froideur ; sa rancune date du jour où il a compris que Luke ne reprendrait pas la ferme familiale. À soixante-dix ans le père abat toujours ses dix heures aux travaux des champs et de l'étable. Luke Howard est encore très faible, et le temps chaque jour plus clément : on l'installe dans un coin du jardin de la maison paternelle, sur un grand siège d'osier. Il est trop faible pour lire ; une jeune et charitable voisine s'offre à lui faire la lecture des Saintes Écritures. Mariabella avait cinq ans quand il est parti pour la capitale. Elle est la fille d'un certain John Eliot, homme de peu de biens et de réputation, braconnier à ses heures, qui élève seul cette enfant dont la naissance en son temps a tué sa femme, mais qu'il adore. Luke Howard écoute Mariabella ; la parole divine lui semble toujours aussi belle ; les nuages qui passent, toujours changeants et pourtant immuables, lui paraissent chanter des cantiques lumineux et muets. Et parfois il lui semble que ce sont les nuages qui regardent passer les hommes. Il remercie la Providence de lui avoir fourni, en le blessant, l'occasion d'entendre ainsi le livre des livres ; quand il est trop las, il ferme les yeux. Quand il s'endort, Mariabella Eliot se penche au-dessus de lui ; Luke Howard a vingt-deux ans ; quand il rouvre les yeux, il voit son visage, flottant sur le bleu du ciel. Il s'écoulera encore douze ans avant que John Eliot, lassé de leur obstination, ne laisse enfin Luke Howard épouser Mariabella.

Luke Howard se rétablit lentement, mais il ne peut encore écrire. Pour exercer ses facultés et jus-tifier les heures qu'ils passent ensemble, il apprend à Mariabella ce qu'il sait de botanique et de français, de chimie et de géologie. Quand il rega-gnera Londres, ils passeront douze années chastes et ferventes à s'écrire, à ne se voir qu'une semaine l'an. Quand la mélancolie de la séparation se fait trop grande, Mariabella et Luke se livrent à un se-cret rituel : regardant les nuages, ils se souviennent qu'un même ciel les enveloppe.

Akira Kumo est content de son employée. Elle n'a posé aucune question sur le Japon. Ni sur la haute couture. Ni sur la haute couture au Japon. Ni sur son passé au Japon. Quand on lui pose une question sur sa jeunesse au Japon, Akira Kumo ob-serve généralement un silence poli. Pour ne pas ré-pondre à de telles questions il s'est construit, avec le temps, une pantomime aussi simple qu'effi-cace : le regard franchement planté dans celui de son interlocuteur, il feint d'entrouvrir la bouche pour répondre, brusquement la referme sans avoir prononcé un mot. Akira Kumo ne pense plus

jamais au Japon ; en revanche une question dérisoire, ridiculement obsédante, se présente trop fréquemment à son esprit : pourquoi s'est-il un jour
pris de passion pour les nuages ? Il ne sait pas. Son
métier de couturier lui a d'ailleurs appris qu'il valait mieux, souvent, ne pas analyser les choses, et
les laisser travailler dans l'ombre. Mais parfois il
sent que la réponse à cette question-là l'attend,
tapie comme une bête inconnue dans la jungle
opaque de sa mémoire ; alors Akira Kumo tremble
qu'elle ne bondisse et ne vienne l'anéantir, d'un
seul coup.

Comme toute chose et trop simple et trop belle, les nuages sont un danger pour l'homme, dit un autre jour Akira Kumo à sa bibliothécaire, perchée sur un escabeau. Les hommes meurent ou se tuent pour des choses très simples, comme l'argent ou la haine. Un casse-tête trop ingénieux ne pousse personne au suicide : il y a celui qui renonce vite ; et celui qui trouve. Les nuages, eux, sont un casse-tête dangereusement simple : si l'on prend la photographie d'un nuage floconneux, et que l'on agrandit une partie de ce cliché, on s'aperçoit que le bord irrégulier d'un nuage ressemble lui-même à un nuage. Et ce, à l'infini : tout détail d'un nuage ressemble à sa structure générale. Ainsi chaque nuage peut-il être considéré comme infini, parce que chaque anfractuosité de sa surface, considérée à une échelle plus grande, recèle d'autres anfractuosités, qui elles-mêmes... Certains hommes aiment à se pencher au-dessus de tels gouffres ; les plus fragiles de ces hommes y tombent en tournoyant, dans la nuit éternelle du vertige. Virginie Latour demande un exemple. Tout en portant sur la longue table les volumes qu'elle lui tend, Akira Kumo explique que les peintres tout particulièrement sont menacés par les nuages. Non pas évidemment les artistes traditionnellement considérés comme ayant été des peintres de nuages, tels que l'Italien Tiepolo, ou l'Anglais Constable, ou même les Hollandais. Ceux-là ont compris le danger : ils ne peignent pas les cieux tels qu'ils sont ; bref, ils trichent et ils s'en tirent. D'autres peintres ne se sont pas méfiés : ils trouvaient les nuages intéressants, fascinants même : de constants miracles, aériens, infatigables. Ceux-là ne voyaient pas qu'à la fin ils plieraient sous le poids effrayant des nuées. Virginie Latour s'impatiente. Akira Kumo finit par donner un exemple, le plus connu de tous, mais qui n'est pas connu du tout, comme tous les exemples de spécialistes : le peintre anglais Carmichael. On ignore quel fut son prénom. De toute sa collection, les carnets de Carmichael sont les pièces préférées d'Akira Kumo. Ils ne lui ont presque rien coûté, étant donné que cet artiste méconnu a détruit quasiment toute son œuvre.

Durant l'été 1812 un peintre anglais nommé Carmichael a peint des nuages, et seulement des nuages. Durant la même période il a tenu, dans de petits carnets à croquis, un journal de cette expérience ; c'est le seul manuscrit de sa main qui soit parvenu jusqu'au vingt et unième siècle. Akira Kumo a commandité des recherches sur le personnage, mais elles n'ont presque rien donné. Carmichael est cité par quelques mémorialistes et chroniqueurs du début du dix-neuvième siècle comme un jeune peintre prometteur, mais il semble ne pas avoir tenu ses promesses puisque à partir de 1804 il n'est plus évoqué nulle part en tant que peintre anglais actif. En revanche on le retrouve, après cette date, professeur de dessin ; jusqu'à sa mort, il place dans les grands journaux londoniens des placards publicitaires : il se propose d'enseigner aux enfants et aux jeunes filles le fusain, l'aquarelle. Pour avoir idée de ce que fut le peintre Carmichael, seuls ses carnets de 1812 font foi. Aucun musée ne possède la moindre de ses études de ciel, comme il les appelle ; les deux seuls Carmichael survivants sont des essais de jeunesse, visibles au Victoria and Albert Museum de Londres. Akira Kumo est allé les voir : deux paysages insignifiants, dans la manière de Gainsborough. Carmichael note pourtant avoir peint une centaine de *sky studies* ; les premières datent de juin 1811, la dernière du 2 août 1812. Tracés dans les marges de son journal, un petit nombre de croquis, d'esquisses laissent bien des regrets : il s'en dégage une impression ineffaçable ; à l'évidence personne n'a jamais peint aussi magistralement les nuages.

Après le 2 août 1812, Carmichael semble revenu de cette folie, de ce vertige des nuages qu'il décrit si fiévreusement dans ses carnets. De ces années nuageuses, de cette période si courte en somme, il n'a jamais parlé à personne, semble-t-il. Au commencement ce n'est pas aux nuages qu'il s'intéresse, d'ailleurs, mais au vent. Bien entendu on ne peut pas peindre le vent, à moins d'être chinois ; mais on peut peindre l'effet des vents : obstinément Carmichael observe les ondulations du blé

61

mûrissant dans les plaines ; observe ces arabesques que les bourrasques dessinent sur les eaux d'un lac ; observe le gonflement des voiles et l'inclinaison des gréements sur les océans ; observe sur la terre les tourbillons de la poussière et les courbes savantes des dunes. Mais, à la fin du printemps de l'année 1811, Carmichael finit par entendre l'appel muet des nuages. Il se met en quête de l'observatoire idéal, et le trouve à deux pas de Londres. C'est l'endroit rêvé, cet endroit où Luke Howard, à la même époque, aime tant se promener : c'est la lande de Hampstead. C'est une lande et ce n'est pas un parc, ce n'est pas tout à fait la campagne et moins encore la nature, que deux mille ans de civilisation ont pratiquement effacée d'Angleterre. La lande de Hampstead, avec ses étangs et ses collines, ses lignes d'arbres centenaires le long des allées, et les horizons tout à coup dégagés, au détour d'un chemin escarpé, sur la ville de Londres. La lande de Hampstead commence d'être ce qu'elle restera pendant les deux siècles à venir : le paradis de promeneurs que la plate et sèche rigueur d'un Hyde Park n'enchante guère. Akira Kumo va s'asseoir pour souffler un peu. Il se rencogne dans son fauteuil. Virginie sait ce que cela signifie : elle s'assoit sur les degrés de son escabeau ; le classement des livres reprendra plus tard.

Carmichael s'installe donc à Hampstead, dans une maison qu'il loue d'abord, puis qu'il achète, à deux pas du plus haut point de la lande, la colline du Parlement qui culmine à un peu plus de cent mètres. C'est toute une affaire de peindre des nuages. Carmichael juge ses premiers essais lamentables. Il faut d'abord trouver le bon support : des feuilles assez épaisses pour encaisser la quantité de couches qu'il accumule dans l'espoir de rendre le modelé des masses. Il découpe ces feuilles lui-même, selon des formats variables ; car il comprend vite qu'on ne peut inclure n'importe quel type de nébulosité dans n'importe quel format ; et c'est par ce biais qu'il découvre, pour son propre compte, ce que les météorologues commencent seulement de comprendre : qu'il y a des nuages à développement vertical et d'autres qui traînent indéfiniment, parallèlement à l'horizon. À vrai dire, Carmichael, dans son enfance et dans sa jeunesse, a été à sa manière un expert en nuages, dans un contexte étranger à toute forme d'art ; mais il n'aime pas se reporter à ce temps-là, ayant rompu avec sa famille.

Tous les jours Carmichael arpente la lande de Hampstead, le chevalet à l'épaule. Souvent il choisit le contrebas d'une colline, avec une ouverture sur l'horizon de Londres, dans la distance ; peu de personnages ; quelques baigneurs, s'il s'installe près de l'un des étangs ; quelques animaux de ferme, deux vaches, un cheval attelé à un char à deux roues, s'il peint plus au nord, là où Hampstead, abandonnant toute prétention au statut de parc, finit par se fondre dans la vénérable campagne anglaise. Surtout, bien sûr, une vaste étendue de ciel qui parfois semble dévorer la toile tout entière. Il quitte sa petite maison blanche, à deux étages, tôt le matin, ou peu avant le couchant. Il emporte sa boîte ; le couvercle fait office de chevalet ; la palette est réduite au minimum : de la poudre bleu de Prusse, du blanc et du noir de charbon, du carmin et du vermillon pour réchauffer les couleurs. Et d'abord, il ne peint pas. Il ne suffit pas de regarder cet objet, le ciel, comme un autre. Le ciel n'est pas un objet, c'est un milieu, et un milieu sauvage. Il se dérobe si on l'attaque tout de suite, si l'on cherche à le prendre de vitesse, le résultat est brillant comme peut l'être, par exemple, une tempête de Turner ; mais si l'on attend trop longtemps, le résultat est froid, infidèle : un ciel d'académie. Il lui faut se tenir debout à l'endroit choisi, face au motif, et attendre.

Pendant des heures, Carmichael attend. Il n'attend évidemment pas, bêtement, l'inspiration ; il n'attend pas davantage une belle disposition des nuages, car toutes les dispositions de nuages, à qui sait les contempler, sont également intéressantes. Il attend simplement que la peinture se lève en lui comme une turbulence, qu'elle se forme imperceptiblement, justement comme font les nuages, il attend qu'elle s'agrège à travers tout son corps, pour qu'enfin la beauté du ciel imprègne le papier. Carmichael attend, comme si lui-même était un nuage. Alors seulement, il peint.

Et c'est toute une affaire, même du seul point de vue pratique, de peindre des nuages. Il faut faire vite, parce que tout sèche au soleil, au plein vent des hauteurs de Hampstead. Carmichael a amené deux chevalets. D'abord sur le premier il épingle une de ses feuilles et il peint un fond. C'est une tâche dérisoire, que certains réservent à leur apprenti, mais Carmichael n'a aucun disciple, et il aime le dérisoire : avec son plus gros pinceau il étale une fine couche de blanc de plomb mêlée de bleu de Prusse, qui sera le support de son ciel. Alors il attend que ce fond sèche, en s'imprégnant du paysage, du ciel toujours changeant, mais sans trop forcer son attention. Il a choisi méticuleusement son emplacement, dans l'axe des vents dominants ; il laisse venir à lui les nuages. Pendant que le premier sèche, il prépare un second fond selon le même principe, mais sous un angle légèrement différent. Quand enfin les fonds sont prêts, il attaque les nuages : patiemment et rapidement il applique, couche après couche, des gris semi-opaques, des bleus et des roses ; peu à peu sous sa main naît le relief des ciels. L'étude est presque achevée. C'est là le moment périlleux, qui l'exalte et le mine tout ensemble : sait-on jamais quand un ciel est fini ? Et c'est là que la plupart des peintres manquent leurs ciels. Ou bien ils s'arrêtent trop tôt et c'est la peinture, avec ses aplats et ses touches, qui se voit ; ou bien ils cèdent à la tentation de rajouter encore ici, de gratter un peu là, de retoucher et, en reculant d'un pas, ils constatent le désastre : l'ensemble a basculé dans le barbouillage, irréversiblement.

Et c'est parce qu'il a compris que le problème est là, dans la finition et la vitesse, que Carmichael s'entraîne sans relâche. Il se trouve alors dans une position étrange pour nous. Pour nous qui le percevons en fonction de l'histoire ultérieure de la peinture, il ne fait pas de doute que les problèmes que rencontre Carmichael — la question de la finition, de la série, du rendu de l'atmosphérique — sont ceux des peintres impressionnistes, ou même de leurs héritiers du début du vingtième siècle.

Mais, pour Carmichael, c'est une tragédie qui se noue : son isolement terrible l'a porté d'un coup vers des problèmes qui ne sont pas de son temps. Ses deux premiers dessins de ce type, Carmichael les juge sévèrement et les déchire ; sans se décourager, il prépare deux autres feuilles, et la journée passe ainsi, jusque vers les cinq heures du soir. Le travail sur le motif est terminé. Il retouche ses œuvres une à une et souligne les différents éléments avec du blanc. De retour à l'atelier, quand tout est sec, Carmichael ajoute avec minutie le coûteux pigment bleu, à base de lapis-lazuli, qui seul peut approfondir la couleur d'un ciel.

Au bout de quelques semaines, Carmichael comprend qu'il ne suffit pas de contempler les nuées ; il faut aussi, un tant soit peu, les comprendre. En cherchant à se documenter, il tombe enfin sur l'ouvrage météorologique d'un honnête vulgarisateur sans génie, un nommé Forster ; lequel reconnaît à chaque page, loyalement, qu'il doit tout aux travaux d'un certain Luke Howard. Pour Carmichael, c'est l'éclaircissement décisif, et comme la confirmation de ses intuitions les plus folles. Howard lui fournit ce qui lui manquait : des noms pour toutes ces formes qui le narguent jour après jour, au-dessus de Hampstead. Il apprend par cœur les termes inventés par le Quaker. Désormais Carmichael ne peint plus des nuages, mais des cirrus et des nimbus et, plus rarement (car le défi lui paraît moindre), des stratus. Il utilise ces termes nouveaux jusque dans le titre de ses études. Mais il continue de considérer chaque nuage, chaque configuration du ciel, comme absolument unique. Jusqu'au milieu de l'été 1811 c'est l'euphorie ; les carnets prennent un ton qu'on dirait mystique, si Carmichael ne manifestait un athéisme tranquille, constant. Carmichael rend à sa façon grâce au ciel, à ce ciel vide de tout dieu, qui lui fournit de si belles matières et de si grandes jouissances. Il comprend alors qu'il ne s'agit pas tellement pour lui, d'une certaine manière de peindre les nuages avec exactitude, mais de leur être profondément fidèle, de les saluer pieusement, dans la solitude des collines de Hampstead.

On ne peint pas pour faire de la peinture, ou même pour être peintre : seuls les amateurs en sont là. On peint pour des raisons plus profondes et qui n'ont rien à voir avec la carrière ; ce qui est essentiel pour un peintre, c'est le rapport entre son art et tout ce qui n'est pas la peinture, c'est ce désir de capter les couleurs et les saveurs du monde. À l'âge de quinze ans, Carmichael passe le plus clair de son temps sur la plate-forme du plus imposant moulin bâti par son père, à la sortie d'un petit village du Yorkshire qui se nomme East Bergholt. Il se tient là debout, il regarde le ciel, il scrute l'horizon, inlassablement. C'est son métier. Il n'est pas encore peintre. Il dessine admirablement, depuis toujours. Mais il est payé à guetter le ciel. Plusieurs heures avant d'arriver à East Bergholt, le voyageur peut voir, par temps clair et calme, les cinq moulins du père de Carmichael tourner lentement leurs bras dans les ciels instables du Yorkshire. Le plus gros d'entre eux se tient au centre, flanqué de chaque côté d'une paire de moulins plus petits et plus bas. Carmichael est le meilleur guetteur de temps : son père l'a placé au centre, sur la plus haute plate-forme. Dans les villages de la région, on le connaît depuis toujours sous un surnom ridicule : le Beau Minotier. Carmichael travaille aux moulins paternels. Il est beau et farouche ; les femmes le poursuivent mais il est fier, et ne cède pas. Quand il entend le pasteur, à l'office où le traîne son père par souci des convenances, évoquer comment le premier des hommes et la première des femmes ont été chassés du paradis terrestre, il rougit de colère : pourquoi faut-il entendre de pareilles sottises ? Toutes les femmes du comté en habits du dimanche le regardent d'un air idiot ; les hommes spontanément le haïssent, et Carmichael ne comprend pas pourquoi, puisqu'il ne touche pas à leurs femmes. Son père est riche et puissant, car c'est être riche et puissant en ce temps-là que de posséder les moulins.

Chaque année, à la même époque, vers la fin de septembre, le père enrôle ses fils comme guetteurs du temps : il place le meilleur sur le point le plus haut de sa ligne de moulins. Carmichael, en tant qu'aîné des fils de la maison, doit reprendre le commerce paternel. Autant il aime guetter le temps, autant les livres de comptes et les courbettes des marchands lui font horreur. Il sait aussi qu'il n'aime que la peinture. Il se dit qu'il obéira à son père, qu'il reprendra l'affaire, qu'il peindra durant la morte-saison. Il croit que tout est réglé. Maintenant il se tient debout sur la plate-forme, il s'efforce de ne penser à rien, pour accueillir les signes délicats qui montent à l'horizon, là-bas. Toute la richesse de la région repose sur la justesse de telles observations : le Yorkshire vit du blé, ce blé qu'on vend à Londres sous forme de farine ; entre le blé et la farine se tiennent les moulins du père de Carmichael. Tel est le jeu, exaltant et brutal, du commerce des grains : la première région à acheminer sa farine à Londres est celle qui bénéficie du prix le plus élevé. Les moulins, eux, ont le vent pour meilleur ami et pour pire ennemi. Un vent modéré et constant est évidemment l'idéal ; mais, dans le Yorkshire, le phénomène est rare. Le minotier doit donc veiller au grain. Car un vent trop puissant, une rafale trop brusque peuvent détruire la voilure, ou même les bras du moulin, et c'est alors une catastrophe économique : pour ceux qui fabriquent les sacs, pour ceux qui transportent la farine à Londres, pour ceux qui la vendent en gros, pour ceux qui la débitent au détail. Aussi le minotier passe-t-il son temps à prier pour que le vent se lève ou tombe ; et la fonction du guetteur est redoutablement simple : au premier signe d'un vent suffisant pour faire tourner les meules, il doit lancer l'opération ; il doit l'arrêter dès que le vent, menaçant de faiblir, compromet le broyage du grain. Point de vent, les ailes du moulin ne tournent pas ; trop de vent, elles se brisent. Ainsi le guetteur doit anticiper la venue d'un vent excessif, et, dès qu'il menace, faire placer les ailes dans l'alignement du vent, ou même, si la tempête approche, affaler les toiles qui les couvrent, de crainte qu'elle ne se déchirent, sauvant ainsi les ailes et la voilure.

Dès l'âge de dix ans Carmichael excelle dans l'exercice de cet art du temps ; ses frères d'un

second lit — sa mère est morte à sa naissance —,
Golding et James, n'y ont jamais brillé, et ils fuient
cette corvée ; lorsque le père les envoie au moulin,
ils feignent d'obéir, mais ils vont cueillir des mûres,
ou pêcher l'anguille et le goujon. Leur demi-frère
reste seul à son poste. Il aime que l'énergie du ciel
passe aux lourdes pierres des meules, il aime être
l'humble et fier gardien de cette puissance. Quand
il voit avancer les nuées, Carmichael pense souvent à les peindre. Mais il n'ose pas encore. Il a ses
nuages préférés pourtant, ceux que les marins et les
minotiers appellent des messagers. Ce sont de
petits nuages qui glissent sous les gros, annoncia-
teurs d'orages, en héraut des intempéries. Depuis
qu'il a compris qu'il est beau, Carmichael s'est dé-
tourné de l'idée de peindre la face humaine ; il s'est
fatigué de s'entendre parler de son visage, et demander des portraits. Alors il s'est tourné vers le
ciel mais la beauté stupéfiante des nuages en mouvement l'a dépassé ; il a dû renoncer immédiatement à le dessiner. Il s'est rabattu sur la terre. Avec
son ami John Dunthorne, plombier de son métier,
il part le dimanche dans les champs et dans les
bois. Côte à côte ils dessinent, sans parler.

Il n'y a alors à East Bergholt qu'un homme susceptible d'initier Carmichael à la peinture. Sir
George Beaumont vit à Londres la plupart du
temps, mais prend ses quartiers d'été dans le château de ses aïeux. Pendant l'été 1804 il voit par hasard, chez l'apothicaire d'East Bergholt, le croquis
d'une clairière à demi noyée de brume, exécuté à la
mine de plomb ; le dessin est alourdi de mille er-
reurs techniques, mais le talent éclate. Sir George

Beaumont demande à rencontrer l'auteur. Carmichael a dix-sept ans.

On est à la fin de septembre : on a démâté les moulins, roulé les toiles dans leur étuis goudronnés ; la saison est finie. Chez les Carmichael, Sir Beaumont trouve toute la famille au coin du feu, à l'exception de celui qu'il veut voir. Golding Carmichael s'offre obligeamment à le mener vers son frère. Dans une clairière balayée par un vent sec, se tient un jeune homme très beau, penché sur un carnet. Sir George Beaumont tombe en arrêt devant lui. Il regrette le temps des Grecs ; il connaît par cœur des pages entières du *Banquet* de Platon ; il en récitera plus tard à Carmichael ; il lui montrera également une reproduction de *La Sainte Famille* de Michel-Ange. Il dit souvent que la bonté divine ne s'exprime nulle part mieux que dans la perfection d'un corps adolescent, fier et mâle. Sir George Beaumont est également un chrétien fervent. Il a parfois songé à se faire pasteur, mais il est trop attaché à la chasteté et au célibat. Il serait absolument horrifié si on lui prêtait les pensées impures qu'il pardonne difficilement à son cher Socrate ; à Londres pourtant, l'on murmure dans son dos ; les murmures enflent quand il revient de sa campagne avec un Adonis. Mais Sir George Beaumont est l'innocence même. Il lui paraît dans l'ordre des choses qu'un garçon si doué soit aussi beau. Dans la clairière, Golding fait les présentations. L'aristocrate est autorisé sur le chemin du retour à feuilleter le carnet du garçon, et ce qu'il voit le transporte d'enthousiasme. Il se met en tête de convaincre le père que le fils a du talent. Le père le sait pertinemment, mais prétend le contraire et parvient à ses fins : Beaumont propose d'acheter à prix d'or tous les dessins de l'enfant. C'est assez d'argent pour refaire les ailes de trois moulins. Le père demande à réfléchir. Beaumont regagne ses terres voisines, en accordant deux jours de réflexion à la famille.

Ces deux jours, le père et le fils les passent à se quereller. Le père feint de refuser, absolument, son consentement ; il espère secrètement faire monter les enchères, et n'a jamais aimé ce fils ombrageux et buté. C'est l'une de ces longues disputes dont on ne revient pas : le fils menace le père de lancer des pronostics fantaisistes pour le ruiner, à la saison suivante. C'est alors que le père traite le fils de bâtard. Carmichael croit d'abord qu'il s'agit seulement d'une injure ; mais le père ne s'arrête pas en si bon chemin, et lâche d'un coup ce qu'il a sur le cœur depuis quinze ans : Carmichael n'est pas son enfant. Le minotier avait épousé la mère, dont il était fou et qui ne l'aimait pas, alors qu'elle était déjà grosse d'un autre qu'elle n'avait jamais voulu nommer, mais à son grand désespoir la malheureuse était morte en couches. Le continuel déchirement de voir la beauté de la mère réincarnée dans ce gamin distant avait eu raison de la patience du veuf, et il avait fini par le détester, se remariant pour faire souche, enfin. Au matin du second jour le vieux minotier laisse Carmichael partir chez ce noble ridiculement enrubanné et poudré, non sans lui avoir fait signer, devant notaire, une promesse l'engageant à ne jamais travailler pour un concurrent. À partir de ce jour, Carmichael choisit de porter le nom de jeune fille de sa mère. Il s'installe à Londres, chez Beaumont. Et là, pendant de longues semaines, il refuse de toucher un crayon, un pinceau, écrasé par la honte d'avoir osé dessiner dans l'ignorance de ses prédécesseurs. Beaumont en effet l'a mené obligeamment en visite à travers toute la capitale : Carmichael découvre les chefs-d'œuvre de Claude, de Cozens, de Girtin, de tous les maîtres du temps et du passé que leurs propriétaires commentent avec passion pour ce jeune homme si peu loquace ; et qu'il faut souvent arracher à la contemplation d'une toile, pour le traîner vers le grand salon où l'on va servir le dîner.

Un soir, emporté par le feu d'une discussion avec son protégé, Sir George Beaumont a repris une fois de trop du sherry. Il a mené Carmichael dans sa chambre pour lui montrer une estampe qu'il vient d'acheter, et il glisse brusquement sa main dans l'entrejambe du jeune homme en proférant des obscénités si terribles et des compliments si mièvres que Carmichael, réfugié dans sa propre chambre, croira un moment les avoir rêvés. Ils n'en reparleront jamais. Écrasé par la honte, le bienfaiteur de Carmichael cesse de l'héberger ; il lui fait une rente modeste et lui donne une somme conséquente, de façon qu'il puisse acquérir un logis dont lui, Sir George Beaumont, ne connaîtra pas l'adresse. Carmichael a vingt ans. Ils ne se reverront plus. Sir George Beaumont mourra sept ans après leur séparation, dans son château du Yorkshire, affaibli par les constantes mortifications et pénitences qu'il s'impose.

Privé de son protecteur, Carmichael n'a plus de contacts avec le milieu des amateurs d'art. Peu importe : le temps de l'étude est pour lui terminé ; il se sent prêt à peindre. Quelques semaines après la rupture, au début de 1811, il se marie et s'installe aux environs de Londres, dans le village de Hampstead, dans une petite maison blanche perdue au bout d'une rue écartée, au 2, Lower Terrace : sa femme Mary souffre de la poitrine, et l'air de Londres est trop mauvais pour elle. Le printemps s'achève. L'été des nuages commence.

Après l'exaltation du milieu de l'été, Carmichael franchit un nouveau cap. Il entre dans la peinture pure : il va peindre des *skyscapes*, des paysages de ciel sans aucun élément de décor terrestre ; pas même, dans un coin de la toile, la branche la plus élevée d'un arbre pour rappeler le sol. Chaque jour le ciel l'attend, toujours le même et toujours neuf. La lande de Hampstead est là, si proche ; il suffit de sortir de la petite maison blanche à deux étages, de traverser le jardinet, de pousser une petite porte de fer ouvragé. Puis il faut prendre à gauche, et encore tout de suite à gauche, dans le petit sentier qui remonte ; ensuite, c'est la lande : sur la première crête, à ses pieds, Carmichael découvre un parc immense ; il marche vers les étangs de Highgate, qui dorment au pied de la colline du Parlement. Il préfère escalader et redescendre cette colline plutôt que de la contourner car, perché au sommet, à trois cents mètres au-dessus du niveau de la mer, on voit le port de Londres, la cathédrale St. Paul, et toute la ville, avec ses peines et ses plaisirs, toute la semaine et le dimanche des hommes qui ne peignent pas. Cinq *skyscapes* par jour, c'est un maximum ; matériellement, bien sûr, rien ne s'opposerait à ce qu'il en peigne dix, ou même vingt. Mais ces cinq-là l'épuisent, littéralement, et il rentre chez lui titubant de fatigue, et tremblant de rage. Sa femme Mary le regarde avec crainte ; chaque jour semble le creuser davantage ; il paraît, comme certains alcooliques, se consumer de l'intérieur.

L'idée des paysages de ciel, bien sûr, ne lui est pas venue d'un coup. D'abord il a compris que les objets qu'il fait figurer sur ses toiles les encombrent. Il a commencé par se débarrasser de la plupart des figures humaines. Il les a toujours placées au deuxième ou au troisième plan, là où ces visages qui l'agacent ne seront, au mieux, qu'une touche d'un rose crémeux, rehaussés de quelques traits de noir. La lande de Hampstead offre son lot de nourrices en promenade, de paysans revenant du marché de la ville. Peu à peu, Carmichael les fait disparaître, comme des fantômes, dans de hautes herbes, au pied de grands arbres, dans l'ombre ou dans la lumière ; puis il renonce complètement à ces figures. La dernière d'entre elles est une femme, qu'on ne remarque pas d'abord, parce qu'il l'a placée sur le bord gauche du paysage, dans le contre-jour d'un soleil intense ; elle est presque dissoute dans la lumière ; elle tient une ombrelle de soie gorge-de-pigeon dont la doublure réverbère le vert doux d'une prairie sans fleurs. Si l'on recule de trois pas, on s'aperçoit que la figure tout entière s'estompe dans le décor : la robe vert d'eau se fond

76

dans la pelouse ; et toutes les nuances du corsage bleu pâle noyé de lumière s'accordent au ciel et aux nuages. En achevant cette œuvre-là, Carmichael sait qu'il en a fini avec la figure humaine, il sait qu'il n'en peindra plus, jamais ; cet effacement, il le vit comme une victoire, et c'en est une bel et bien, une victoire immense et dérisoire : une victoire de peintre.

Désormais, dans la peinture de Carmichael, il ne reste plus d'humain que les édifices. Souvent il s'installe en contrebas d'une demeure surnommée la Salière, à cause de la forme de ses tourelles ; dans le coin droit il dessine seulement le faîte du toit de tuiles, l'amorce d'un mur de brique rouge carmin. Au-dessus trônent d'énormes colonnes de nuées, infiniment mobiles ; parfois les rayons du soleil percent irrégulièrement ces masses. Enfin Carmichael franchit une dernière étape, au début du mois d'août 1822 : sur un petit dessin presque carré, il ne laisse qu'une branche à demi courbée, dans le coin inférieur droit, agitée par le vent. Et puis, plus rien : paysages de nuages purs. C'est là que le vertige vient le prendre par surprise. Carmichael a pour habitude d'épingler ses travaux au-dessus du poêle, dans la cuisine. Un matin qu'il s'apprête à partir, son œil est attiré par une peinture accrochée au mur, une peinture qu'il n'a jamais vue et qui pourtant lui paraît familière : il s'approche, se saisit de la feuille : par inadvertance, il l'a suspendue la tête en bas. Il tourne la feuille d'un quart, et c'est encore un autre tableau qui surgit. L'amusement que lui procure cet exercice est de courte durée ; sur le chemin de la lande, la signification de l'incident lui apparaît peu à peu et, quand il parvient au sommet de la colline du Parlement, épuisé par des semaines de lutte, aveuglé par la solitude, il croit avoir compris : sa peinture doit s'affranchir de tout modèle. Sans hésiter il rebrousse chemin, il redescend une dernière fois vers la petite maison blanche du 2, Lower Terrace. Et, comme Akira Kumo paraît très fatigué d'avoir si longuement parlé, Virginie prétexte poliment un rendez-vous, et prend congé de lui.

Les semaines filent, comme au ciel de Paris font les nuages d'été, précédant les orages. Virginie Latour référence méticuleusement, rayon après rayon, la collection d'Akira Kumo. Ce n'est de fait pas une collection de bibliophile ; presque aucune édition rare, sauf lorsque l'ouvrage n'était pas disponible dans une version courante ; en revanche il ne manque à cette collection aucun ouvrage important consacré aux nuages, et d'une façon plus générale à la météorologie, dans les trois derniers siècles, et dans les langues que connaît ou déchiffre leur propriétaire : le japonais, l'allemand et l'anglais, le français. Depuis la deuxième semaine de leur collaboration, ils ont inversé leur mode de fonctionnement : Virginie vient le matin, assez tôt, et quitte le couturier après le déjeuner, qu'on leur sert le plus souvent dans la bibliothèque elle-même ; l'après-midi Akira Kumo vaque à ses affaires, quand l'entourage a besoin de lui.

Akira Kumo ne paraît pas pressé. Il raconte des histoires. Depuis un certain temps elle a enfin compris : on ne peut pas dire qu'elles soient fausses, on ne peut pas dire qu'il les fabrique de toutes pièces ; mais il est évident qu'il les aménage, qu'il y ajoute des éléments. Souvent l'improvisation lui joue des tours : il a longuement décrit des œuvres de Carmichael, après avoir dit, la veille, qu'aucune n'était parvenue jusqu'à nous. Virginie Latour a réfléchi à tout ça ; elle a conclu que ça n'avait pas d'importance. Elle a donc écouté avec un plaisir sans mélange toutes les histoires d'Akira Kumo : l'histoire de ce savant et pieux Arabe à qui son dieu envoya un petit nuage pour le mener sauf et sain hors du désert ; l'histoire des Templiers perdus dans les steppes, du côté de Tachkent, dont les chevaux gelèrent en traversant un lac apparemment inoffensif ; et bien d'autres encore. Virginie Latour s'est également demandé, un jour, si elle n'est pas amoureuse. Mais elle fait partie de ces personnes pour qui les Extrême-Orientaux sont totalement asexués. Et puis, Akira Kumo ne la regarde jamais avec la moindre concupiscence. Virginie aime ce mot-là. Concupiscence. Elle est un peu vexée, tout de même, de cette absence de concupiscence ; mais pour le principe seulement.

Pendant longtemps, dit un autre jour Akira Kumo à son employée Virginie Latour, les scientifiques n'ont pas même songé au fait que le ciel est bleu ; la couleur bien entendu s'étalait comme aujourd'hui, apparemment massive, presque infinie dans la variété de ses teintes. Des milliers de poètes l'avaient chantée, mais nul scientifique ne s'était soucié de l'expliquer. De plus, les poètes ne valaient guère mieux que les savants, parce qu'ils ne s'intéressaient pas vraiment au bleu du ciel ; ils en faisaient un gros symbole ventru, la couleur de l'infini, la couleur de leur dieu même, au fond ils ne supportaient pas que le bleu soit simplement là, sublime. Cependant les siècles passaient et la corporation des savants se confondait de moins en moins avec celle des prêtres ; et plus les cieux se dépeuplaient de leurs anges, plus ils perdaient leurs prodiges et leurs dieux, plus ils s'emplissaient d'hommes embarqués dans des nacelles ou des aéroplanes. Alors on en vient à penser que le ciel paraît seulement être bleu. On comprend, on explique d'où naît l'impression de bleu du ciel. Car le soleil, lui, ignore la couleur en soi, la lumière qu'il émet n'en possède pas, ou les possède toutes. Le soleil se contente de bombarder l'atmosphère de la terre de toutes ses longueurs d'onde, de toutes ses forces de soleil, qui vont du pas tout à fait rouge à l'au-delà du violet. Le soleil envoie ainsi, comme en vrac, du rouge et de l'orange, du jaune, du vert et du bleu, de l'indigo, et même du violet. Mais ces couleurs ne nous parviennent jamais ; elles se heurtent aux minuscules molécules d'air, et ce dès qu'elles atteignent les couches supérieures de l'atmosphère. Ensuite les molécules d'air des couches supérieures de l'atmosphère diffractent ces petites quantités de lumière, mais elles ne le font pas de manière homogène : elles diffusent mieux les petites longueurs d'onde que les grandes ; ainsi l'air du ciel ne laisse guère passer le rouge, l'orange ou le jaune ; en revanche, il diffuse bien le bleu, mais aussi et surtout le violet. Et c'est ainsi que la plupart des couleurs émises par le soleil n'atteignent jamais la rétine des hommes. Et c'est ainsi que les scientifiques démontrent que le ciel est violet. Cependant le bleu du ciel dont on venait de démontrer l'inexistence avait la belle insolence de ne tenir aucun compte des explications des savants : les yeux des hommes, même les yeux des hommes de science, inhabiles à distinguer le violet, continuaient à voir le ciel bleu ; aussi sûrement qu'ils sentaient la terre à peu près plate, sous leurs pieds ; aussi évidemment qu'ils voyaient chaque jour le soleil se coucher, se lever.

Parallèlement, dans toute l'Europe, ils sont de plus en plus nombreux, simples citoyens, amateurs éclairés, fermiers fortunés, à tenir un journal du temps, comme on dit à l'époque : c'est-à-dire qu'ils notent, jour après jour, la direction des vents, l'état du ciel le matin et le soir, les quantités d'eau tombée, le cas échéant. Plus les hommes savent se protéger du temps qu'il fait, plus ils parlent du temps qu'il fait ; peut-être pour passer le temps. Les météorologues, eux, sont persuadés d'être sur le point d'arracher à la pluie et au vent tous leurs secrets. Car il y a maintenant des météorologues, des sociétés de météorologie, des congrès, des bulletins.

Et ces hommes de science progressent ; c'est tout ce qu'ils savent faire, mais c'est beaucoup, et ils le font tellement bien. Peu à peu en Europe les météorologues apprennent à comprendre comment les nuages se forment ; bien des hypothèses du vénérable Luke Howard sont abandonnées. Les recherches de ces hommes trouvent facilement à se financer, puisqu'ils croisent désormais une infinité d'intérêts économiques. Des navires à coque d'acier, très souvent britanniques et toujours plus nombreux, couvrent désormais toutes les mers du globe ; on construit de grands bureaux modernes à Genève et à New York, où de petits fonctionnaires prennent des règles, tracent à l'encre des frontières rectilignes sur de beaux planisphères. Ainsi croissent des empires construits pour durer mille ans, et qui s'effondreront en un peu plus de cent ; pour se battre et mourir les peuples d'Europe vont de plus en plus loin, dans des villes aux noms étranges dont ils ignoraient l'existence six mois auparavant, à Sébastopol ou à Fachoda. Le sort du monde se joue sur toutes ses mers, dans la guerre commerciale comme dans la guerre tout court. L'Angleterre connaît là son âge d'or, elle vend des épices et des essences rares, elle amasse des diamants et des opales, elle construit dans sa capitale d'immenses chambres de commerce de pierre blanche.

Maintenant qu'une île peuplée de marins règne sur l'univers, le temps qu'il fait devient partout une affaire fort sérieuse. Le *Times* publie le 5 septembre 1860 son premier bulletin météorologique. Cinq ans plus tard, le 30 avril 1865, l'amiral Fitzroy, directeur du département météorologique de la chambre nationale du commerce, se suicide parce que ses services ont effectué une prédiction particulièrement mauvaise, et que la presse s'est déchaînée contre lui. Comme on fait le tour du monde de plus en plus souvent, de plus en plus vite, on finit par comprendre que les phénomènes climatiques en font autant. Et, simultanément, l'on apprend à ses dépens ce qu'il en peut coûter de ne pas connaître le ciel et ses mouvements. Dans les bureaux du ministère de l'Agriculture, des ingénieurs rendent leur verdict : si la valeur annuelle de la production agricole mondiale, y compris l'horticulture et la sylviculture, est d'environ cent millions de livres sterling, et si l'on peut estimer à cinq pour cent l'augmentation de productivité qui résulterait de prévisions météorologiques précises et de leurs applications par tous les travailleurs concernés, paysans ou autres, alors une prévision météorologique fiable possède une valeur potentielle de vingt millions de livres sterling. Reconnaître les nuages ne suffit plus ; il va falloir maintenant prévoir leur apparition, leurs mouvements, leur comportement. En 1879, les habitants de Dundee et de toute la région voient leurs efforts enfin récompensés : un pont de métal enjambe désormais la baie de Tay, qu'il fallait naguère contourner au prix de trois heures de route pour gagner Édimbourg. Les meilleurs ingénieurs britanniques ont conçu ce pont. Plusieurs fois par jour de lourds convois ferroviaires traversent à toute allure le pont de la baie de Tay sans le faire trembler, au point que certains journalistes s'inquiètent des troubles de la vision que des vitesses extrêmes, avec des pointes à cinquante kilomètres par heure, vont immanquablement provoquer. Au printemps 1879, après cinq mois de services loyaux, le magnifique pont neuf de la baie de Tay est précipité dans les eaux du fleuve qu'il enjambait, avec le train qu'il porte et avec tous ses occupants, par une série de fantasques coups de vent qu'aucun ingénieur de l'Empire n'a eu la curiosité de mesurer par précaution. Les journaux s'émeuvent. L'opinion publique gronde. Quelques élus démissionnent, l'un même, comme toujours en ces cas-là, met fin à ses jours. Plusieurs météorologues amateurs écrivent des mémoires prouvant que l'architecte n'a pas tenu compte de la force des vents dans cette région. On reconstruira un pont, au même endroit ; il ne tombera pas. Malgré ses embardées, la technologie britannique est la meilleure au monde : au début de cette même année elle a permis à l'armée de Sa Majesté de tuer huit mille Zoulous en quelques semaines, quelque part en Afrique australe, et c'est tellement simple : les Zoulous chargent en plaine, à pied, la sagaie à la main, abrités derrière des boucliers de bois couverts de peau de zèbre ; ils se jettent contre des soldats professionnels, équipés des meilleurs fusils du monde. Le 29 mars 1879 enfin, à la bataille de Rorke's Drift, un régiment soutient un siège de plusieurs jours et tue un millier de Nègres de plus ; les survivants de ce siège sont couverts de médailles.

En Europe, les puissants du monde cherchent à savoir quand viendront les tempêtes. Bien sûr, il y a toujours eu des tempêtes en Europe occidentale, et des paysans pour s'en soucier. Mais jamais auparavant ces tempêtes n'ont eu autant d'usines à souffler, de toitures de maisons à emporter, de bétail et d'hommes à noyer. Jamais auparavant les puissants du monde n'ont eu autant à perdre. Le 14 novembre 1854, pendant la guerre de Crimée, des navires de guerre et de commerce, au total trente-huit bâtiments battant pavillon français, coulent au large de Balaklava, dans la mer Noire. Il y a aussi, accessoirement, quatre cents morts. Napoléon III convoque le ministre de la Guerre pour savoir comment il a perdu quatre cents hommes et une flotte entière, dont le plus puissant de ses trois-mâts de guerre, le *Henri-IV*. Le ministre de la Guerre convoque le directeur de l'Observatoire de Paris, pour se donner une contenance. Le directeur de l'Observatoire se nomme Urbain Le Verrier. Il n'a aucun mal à démontrer à son interlocuteur que la tempête en question se trouvait, la veille, au-dessus de la Méditerranée ; et que deux jours auparavant elle faisait trembler les habitants du nord-est de l'Europe : il aurait suffi d'une simple communication télégraphique pour éviter la catastrophe. Le Verrier obtient aussitôt une audience auprès de l'Empereur, qui veut savoir comment accomplir de tels prodiges. Urbain Le Verrier a tout simplement écrit à tous les astronomes et météorologues amateurs qu'il a pu recenser dans toute l'Europe ; chose des plus aisées, en un temps où les savants passent leur temps à s'écrire pour se communiquer informations et découvertes. Sa requête est simple : il a prié ses honorés confrères de lui faire leurs observations sur le temps qu'il faisait chez eux, entre le 12 et le 16 novembre. Le Français reçoit deux cent cinquante réponses, qu'il reporte sur une carte d'Europe. Il dispose de la trajectoire de la tempête. Naturellement le système possède un ennemi juré : la chronologie. À quoi bon prédire le temps de la veille ? Urbain Le Verrier obtient donc l'argent nécessaire à la création de stations météorologiques sur tout le territoire français. Ainsi s'achève le temps des hommes, ainsi commence celui des réseaux. Bientôt d'autres pays — la Hollande, l'Angleterre, la Suède, la Russie — vont s'inspirer de l'exemple français.

En août 1996, bien avant de rencontrer Virginie Latour, Akira Kumo a atteint l'âge de cinquante ans. Quelques mois après cet anniversaire il fait une découverte étrange : en fait, il n'a pas cinquante ans. Il ignore quel âge il peut bien avoir. Tout ce qu'il sait, dans un premier temps, c'est que sa date de naissance n'est pas la bonne. Il l'apprend par un hasard idiot : en décembre 1996 un conseiller juridique de son entreprise se met en tête, pour des raisons fiscales, de faire obtenir à son patron la citoyenneté suisse. Akira Kumo consent à cette manœuvre : dans son esprit la Suisse n'est rien, mais il pense à une propriété en altitude, où il pourra se promener chaque matin, au-dessus des nuages. L'entourage se met donc à étudier la question. La Confédération helvétique exige bien sûr, entre autres pièces officielles, un certificat de naissance. L'entourage contacte l'administration de sa ville natale, et la réponse arrive avec une rapidité surprenante : la municipalité d'Hiroshima est au regret de ne pouvoir accéder à la demande d'Akira Kumo, les archives de la ville ayant été détruites en août 1945 par l'explosion de la bombe atomique. En quoi la destruction des archives en 1945 peut-elle concerner un homme né un an après ? L'incident, pourtant bénin, trouble le couturier. Il informe l'entourage qu'il prend cette affaire en main. Les semaines passent et lentement, comme un ciel qui se couvre, une angoisse diffuse l'envahit. Akira Kumo finit par écrire à la mairie, pour demander un supplément d'information, mais il le fait avec l'accablement d'un homme qui marche vers un malheur qu'il pressent mais ne peut conjurer. Il porte son courrier lui-même à la poste centrale de la rue du Louvre, qui reste ouverte en permanence. Il va être six heures du soir et il fait nuit depuis longtemps, il a fait arrêter son taxi devant la grande façade grise, il est entré pour faire peser et affranchir sa lettre. À peine est-il ressorti que dans un éclair la vérité lui revient, irréfutable : il n'est pas né en 1946, mais à la fin de l'année 1933. Et du moment où il a tiré ce fil minuscule, toute l'étoffe ne vient pas d'un coup, naturellement ; mais bientôt il n'en restera rien.

Sur le moment, la date qui le fait vieillir de douze années a surgi dans son esprit comme une intuition. L'oubli est un phénomène affreux : il ne peut évidemment pas savoir quand il a effacé de sa mémoire un fait aussi massivement simple que sa propre date de naissance. Il repense, pour la première fois peut-être depuis quarante ans, à ses parents. Il repense à son père. Ce diplomate impérial de second rang, spécialiste des questions militaires, a pu avoir ses raisons de falsifier la date de naissance de son fils ; peut-être s'est-il affolé, en voyant que son pays envoyait des hommes toujours plus jeunes au front, dans une guerre qui semblait partie pour durer toujours. Puis Akira Kumo s'aperçoit du ridicule de cette hypothèse. Il se voit contraint, à l'orée de la vieillesse, de rassembler ses souvenirs, et c'est un exercice qu'il n'aime guère. Trente ans de travail acharné, trente ans d'une carrière passionnée le séparent de son enfance. Il ne se souvient de rien avant son arrivée à Tokyo comme apprenti graphiste, dans les années soixante. Rien ne lui revient de sa petite enfance que des images figées comme des photographies : il se souvient de l'élégance discrète de sa mère ; il se rappelle un vague fantôme, toujours entre deux voyages diplomatiques : son père. Il lui revient que cet homme-là a péri, comme tant d'autres, dans l'Allemagne nazie, probablement au consulat du Japon à Hambourg, sous un bombardement allié, en 1945. De sa mère, rien d'autre que cette première récollection, obstinée mais ténue : il se souvient de son élégance discrète. Rien d'autre. C'est à pleurer. Akira Kumo n'attend pas la seconde réponse de l'état civil d'Hiroshima ; il fait savoir à son entourage qu'il ne se fera pas suisse. L'entourage du maître, c'est l'une de ses nombreuses qualités, ne discute pas.

Akira Kumo reste béant. Bien sûr il enchaîne mécaniquement les collections, le temps file comme le vent, on suit les ventes de la collection printemps-été, on prépare automne-hiver, comme tous les ans. Mais intérieurement il reste figé devant cette zone grise de douze ans, devant la possibilité même de cette zone, de cet espace plat, morne et gris comme une plaine d'hiver. Il appointe un détective privé. À la fin du printemps 1997 l'agence rend un rapport clair et précis, qui ne lui apprend rien. L'administration nipponne de l'immédiat après-guerre, sous la férule soupçonneuse des troupes américaines d'occupation, s'est montrée d'une méticulosité parfaite : aucune naissance n'a été laissée sans dossier numéroté. L'homme qui s'appelle Akira Kumo n'est effectivement pas né en 1946. Quant à la date exacte de sa naissance, elle se perd à Hiroshima dans la catastrophe de la fin de la guerre. Au début de l'été 1997, le couturier fait examiner son corps, particulièrement ses dents, et les meilleurs spécialistes de Paris finissent par lui donner une estimation : il a plus de soixante-dix ans. La science rend encore plus plausible son absurde certitude d'être né en 1933 ; mais cela n'explique rien. Néanmoins le fil qu'il a tiré continue de se dévider, sans un bruit, dans le labyrinthe de sa mémoire.

Le 31 juillet 1997, il y a eu le défilé de la collection automne-hiver. La soirée et les répétitions ont été pénibles, car dans ces années-là tous les mannequins se sentent obligés de faire des crises de nerfs, ayant lu dans différentes revues spécialisées que les plus célèbres de leurs collègues en font. Mais les clientes se bousculent, le carnet de commandes de la maison Kumo est plein. De l'avis des spécialistes c'est sa collection la plus aboutie. Akira Kumo atteint cette limite ultime où il sent qu'enfin son travail est devenu absolument imperceptible : l'élégance.

Arrive le mois d'août et, avec lui, la peur de l'oisiveté, de l'ennui, qui frappe Akira chaque année, quand son entourage le force à prendre des vacances. Il passe alors deux semaines à Amsterdam. Cette fois-là il dépense plus de dix mille francs par jour : il passe d'une fille à l'autre sans les voir, il en sort épuisé, fourbu ; il veut atteindre ce point de fatigue où il ne pensera plus à rien, au-delà de l'oubli même. Mais, pour la première fois, tout le ballet de la prostitution lui apparaît pour ce qu'il est aussi : un commerce sordide. Sur le chemin du retour, il se sent triste à mourir. Dans le train qui le ramène à Paris, pendant qu'il cherche le sommeil, d'autres détails de son passé lui reviennent en mémoire.

Akira Kumo se souvient brusquement que c'est lui-même, et lui seul, qui a procédé, sciemment, à la falsification de son passé. Après l'explosion de leur bombe sur Hiroshima, les troupes d'occupation des États-Unis d'Amérique ont exigé, dès leur arrivée à proximité du site, que tous les survivants ayant perdu leurs papiers viennent se faire délivrer une pièce d'identité provisoire ; comme ils ont subordonné toute la distribution alimentaire à la détention de ce document, les habitants qui le peuvent se ruent vers les bâtiments de l'administration provisoire, installée à dix kilomètres du point d'impact, dans de longs hangars démontables en tôle ondulée. Akira Kumo fait partie de ces survivants. Il est une curiosité médicale qui ne présente aucun des symptômes habituels. Alors qu'on l'a trouvé, évanoui, dans la zone 2 de l'explosion, celle de la mort à court terme (la zone 1 est celle des morts immédiates, la 3 celle des pathologies mortelles en moins d'un an), Akira ne meurt pas de diarrhées, ses cheveux ne tombent pas, ses doigts ne gonflent pas, il n'est pas attaqué, en quelques semaines, par plusieurs types de cancer. Il se prête dans un premier temps à tous les tests : on le nourrit en échange. Les médecins américains lui proposent de le transférer en Californie, pour mieux l'étudier. Akira Kumo feint d'accepter mais il s'enfuit et disparaît. Sa pièce d'identité provisoire en poche, un sac militaire rempli de rations qu'il a patiemment mises de côté en prévision de jours moins prospères, il rejoint à pied Tokyo. Pendant dix ans il vivra dans la rue, de rapines, de petites courses pour les prostituées du quartier des plaisirs.

Quand il apprend en 1959 que les autorités vont régulariser toutes les identités provisoires et flottantes que la guerre et l'après-guerre n'ont pas manqué d'engendrer, Akira Kumo a derrière lui des années de débrouille, de ruse, d'escroqueries bénignes et de combines élaborées. Il n'a jamais fait son âge. Il peut paraître avoir quinze ans ; il en a, en fait, vingt-huit. On le plaisante depuis longtemps à ce sujet. Il comprend immédiatement que cette jeunesse apparente est sa chance unique de sortir de la rue, de prendre un nouveau départ dans l'existence. Il prépare soigneusement son affaire. Puis il se rend, à la périphérie de Tokyo, dans les bureaux que le gouvernement a loués spécialement pour abriter les fonctionnaires chargés de traiter cette affaire hors du commun. Sciemment il s'est présenté vers quatre heures de l'après-midi ; on le fait attendre pendant des heures dans un couloir anonyme, où l'on a aligné des chaises pliantes. Sur ces chaises, tout le rebut du Japon, tout ce que l'Empire a jeté aux poubelles de son histoire : des paysans déplacés qui sont revenus à pied des camps de prisonniers russes d'où ils se sont évadés ; d'anciens combattants de la guerre du Pacifique, mutilés, qui relisent pour la millième fois les certificats de leurs décorations militaires, et des veuves sans nombre, de tout l'archipel. Les heures passent, les chaises se vident ; il est l'avant-dernier à être reçu. Comme il l'espérait, la fonctionnaire qui le reçoit est harassée par sa journée de travail. C'est une jeune femme zélée, mais abattue par le défilé des misères qui semble ne jamais vouloir tarir. Elle salue poliment Akira et lui fait signe, mécaniquement, de s'asseoir. La jeune femme lui demande s'il a apporté des témoignages certifiés de son identité. Il répond qu'il ne peut pas, qu'il était à Hiroshima le 6 août. La jeune femme relève la tête ; et Akira produit alors quelques rapports médicaux, qu'il a sélectionnés avec soin : aucun ne mentionne une date de naissance précise. Le mensonge est en place : un menteur habile ne propose jamais une vérité monolithique, qui sentira toujours trop la confection ; il compose plutôt un ensemble de petits détails qui, isolément, ne prouvent rien ; mais qui, par leur dissémination même, provoquent une impression de vraisemblance.

Enfin l'employée finit par lui demander son âge. C'est le moment fatidique, celui vers lequel tous ses efforts des dernières semaines convergent, celui pour lequel il s'est préparé, comme le héros d'une conspiration. Il porte des vêtements bien au-dessous de son âge, il s'est fait couper les cheveux au bol, comme un enfant ; son visage, qu'il a massé avec une huile deux fois par jour pendant un mois, est lisse ; surtout il s'est entraîné, des heures entières, devant un miroir à retrouver la gestuelle, le regard, la diction du tout jeune homme qu'il n'est plus ; il est allé vérifier ses progrès en se présentant à l'entrée d'un cinéma pour adultes. Il a su qu'il était prêt. Maintenant il répond à la jeune fonctionnaire qu'il a seize ans ; elle ne relève pas la tête : c'est gagné.

Ensuite tout s'est passé encore plus facilement que prévu : il a parlé à l'employée de bureau de ses parents morts pendant la guerre, en Europe ; de sa survie dans les rues. La jeune femme maintenant lui parle presque maternellement. Elle lui explique où retirer sa future pièce d'identité. Il retourne à sa vie antérieure, pour quelques mois. Il réfléchit à son prochain mouvement. Quand il atteint l'âge fictif de dix-huit ans, il entre comme apprenti dans une école de graphisme. Alors, enfin commence pour lui une nouvelle vie, tellement conforme à ses désirs que l'ancienne s'efface, comme un dessin d'enfant sur la plage rattrapé par les vagues.

Le train d'Amsterdam à Paris pénètre dans la gare du Nord. Le chauffeur d'Akira Kumo l'attend devant la gare, à l'endroit habituel, et, ne le voyant pas descendre, il s'avance sur le quai, presque vide maintenant, il monte dans le compartiment réservé, il trouve son maître pleurant. Le chauffeur a l'habitude, et connaît les instructions de l'entourage. On est au mois d'août : il le conduit à la clinique. Sur le trajet, Akira Kumo pleure toujours. Il ne pleure pas d'avoir été orphelin, il ne pleure pas d'avoir survécu à Hiroshima, ni même d'avoir eu à falsifier sa vie : il pleure d'avoir oublié tout cela, il pleure d'avoir été cette brute capable, parce qu'il le fallait, de tourner le dos à tout ça, il pleure d'avoir survécu au lieu de mourir comme les autres. Il comprend maintenant sur quel fumier il a poussé.

Quand il ressort de la clinique en septembre, Akira Kumo consulte un psychanalyste. Généralement Akira ne dit rien ; l'autre non plus. Le couturier comprend bien pourquoi il se tait ; ils ne sont pas là pour bavarder. La pièce où l'analyste le reçoit est calme et claire. Parfois Akira dit qu'il ne peut rien dire ; le plus souvent il ne dit rien, pendant vingt ou trente minutes, trois fois par semaine. Mais ce sont ses silences qui lui sauvent la vie. Trois fois par semaine, le psychanalyste le fait entrer dans son bureau, il regagne son fauteuil, et Akira s'allonge sur une sorte de canapé plat, il pose sa tête sur un coussin presque dur. Il n'y a rien sur les murs qui puisse distraire le patient : quelques lithographies médiocres, un papier peint crémeux. Le jour entre par une fenêtre haute qui ne laisse pas voir la cour intérieure ; souvent Akira Kumo se met à regarder les nuages. Il devrait continuer ainsi, s'obstiner à revenir, prendre patience. Il se dit qu'il faut sortir de cette dépression, comme si cela pouvait faire l'objet d'une décision. Il n'y a rien dans la pièce, sauf la présence de l'analyste, dans son dos, et celle des nuages, par la fenêtre. Un jour, Akira parle à son psychothérapeute de son intention de rassembler des livres sur un sujet dont il ignore tout, mais qui l'attire ; vous voyez, dit l'autre, vous voulez continuer à faire une collection, finalement. Akira Kumo est furieux. Il le dit à son psychothérapeute. Il dit qu'il le paie bien cher, au regard de la nullité de ses calembours. Il sort pour ne plus revenir. La séance suivante, il est au rendez-vous, à l'heure, il ne dit rien, de nouveau. Encore quelques séances de silence, et puis il n'y retourne plus, jamais.

Akira Kumo a maintenant, officiellement, soixante-trois ans ; la saison 1997 est la dernière de sa carrière de couturier actif ; il devient une signature ; la maison Kumo a préparé la succession depuis plusieurs années. La vitrine haute couture est confiée à deux jeunes créateurs que le patron a formés. Depuis longtemps le gros des revenus de la société proviennent des parfums et des accessoires, sacs à main, ceintures et broches. Dans sa semi-retraite Akira se consacre à l'étude des nuages ; il se met à fréquenter les bouquinistes des quais de la Seine, les salles de vente de Londres et de Paris. Au dernier étage de l'hôtel particulier il passe des heures joyeuses à contempler le ciel ; sur les rayonnages commencent à s'aligner, familiers et baroques, des traités de météorologie, des atlas du ciel, des fascicules de vulgarisation et des traités en dix volumes. Akira Kumo n'est pas encore mort.

Le 26 août 1883 a explosé, dit Akira Kumo à Virginie Latour, la plus puissante bombe naturelle que le monde ait jamais connue depuis plusieurs milliers d'années. Le cataclysme se produit en Indonésie, à Krakatoa, qui est une île et un volcan, l'un de ces volcans du type qu'on nomme aujourd'hui péléen. Le type péléen signifie, schématiquement, qu'au sommet s'est formé une sorte d'énorme bouchon qui empêche la lave de sortir, et qui se durcit avec les ans, en résistant à de fortes pressions. À la fin du mois d'août 1883, il y a des années que la pression augmente sous ce bouchon-là. Le volcan de type péléen, comme chacun sait, finit souvent par exploser. Parfois seul le bouchon saute, et une pluie de bombes volcaniques s'abat sur les environs, dans un rayon qui peut atteindre plusieurs kilomètres. Mais ce n'est pas le pire cas de figure. Parfois au contraire le bouchon résiste, et le cône tout entier s'éparpille à la ronde, écrasant, brûlant et asphyxiant des milliers d'êtres, sur la terre, dans les eaux, dans les airs. Le Krakatoa est une version encore plus meurtrière de ce dernier type, le seul exemple recensé à ce jour dans sa catégorie. Car pendant des années le gigantesque bouchon qui le coiffe n'a pas cédé. Le cône du volcan, lui aussi, a tenu bon. Vers la fin du mois d'août 1883, les pressions sont telles que la lave trouve un autre chemin de sortie : elle va se libérer dans les profondeurs. En effet l'île, qui culmine à deux mille mètres au-dessus de la mer, n'est à tout prendre que la partie émergée d'une montagne en formation, d'une hauteur totale de cinq mille mètres. C'est dans les profondeurs de l'océan que le drame se joue : à la base de la montagne, séparée des eaux glacées des profondeurs par d'énormes parois de pierre, frémit un monstrueux cône de lave en fusion. Le 26 août 1883, la lave ouvre brusquement une brèche dans la chambre où elle bout ; immédiatement un flanc entier de la montagne se déchire. Et c'est donc d'un coup brusque que des millions de tonnes d'eau froide et salée entrent en contact avec des millions de tonnes de minéraux liquéfiés et brûlants.

L'île-volcan explose entièrement sous le choc. La masse de ses roches déchiquetées s'élève dans l'atmosphère, y forme le plus gros nuage qu'on ait jamais vu dans toute l'histoire des hommes. En quelques dizaines de secondes une île a disparu. Projetant dans l'atmosphère une masse complexe de gaz, de poussières et de roches, le Krakatoa vient de commencer sa seconde vie, post mortem ; elle sera fort longue. Annoncée par un grondement terrible qui se propage à quelques centaines de kilomètres à la ronde, l'armée de catastrophes levée par le volcan défunt se lance, dans toutes les directions, à l'assaut de la terre entière.

Dès l'instant de son explosion le Krakatoa commence à tuer des hommes. Pourtant depuis des semaines les indigènes ont déserté cette île noyée de fumerolles, ainsi que le court chapelet des îles avoisinantes. Mais le volcan va les rattraper et les tuer. Pendant longtemps il ne va faire que cela, tuer encore et encore, sans intention maligne et sans autre cause que le déchaînement des énergies qui trop longtemps ont couvé en lui. D'abord, bien sûr, le Krakatoa tue tous ceux qui se trouvent dans ses parages ; certains meurent du bruit qu'il a produit, une onde furieuse qui avance comme un mur, à la vitesse de trois cents mètres par seconde, qui fait saigner les tympans ; d'autres hommes meurent de peur simplement, d'autres encore meurent écrasés par la chute des divers objets que le volcan a saisis sur les mers et les terres, écrasés par des bateaux, par des arbres, d'autres plus rares meurent asphyxiés et brûlés par des nappes de gaz toxiques. Simultanément l'explosion a creusé un gouffre gigantesque à la place de l'île, car la lave, ayant consumé jusqu'à l'oxygène de l'air, a créé une zone d'aspiration de plusieurs centaines de mètres de rayon ; d'abord la mer semble comme suspendue autour de la zone, comme étonnée ; il y avait là une île, et soudain plus rien. Il y a eu le temps de la terre et du feu ; vient celui de la mer : les eaux se précipitent dans le vide laissé par l'île, de tous les côtés à la fois, et, pendant un instant, un cône d'eau vient prendre la place de l'ancien cône de terre et de feu, et de nouveau il y a un moment d'équilibre, terrible et fugace ; et le cône d'eau commence à retomber. À des dizaines de kilomètres de l'impact, les plus vieux aborigènes ont compris ; ils ne cherchent pas à fuir. Ils prient des dieux souterrains, mais les dieux souterrains eux-mêmes semblent n'avoir pas survécu. Autour de ce qui fut le Krakatoa d'énormes vagues se lèvent, plus impérieuses que celles des tempêtes. Elles balaient les dizaines d'îlots avoisinants, elles noient absolument tout et balaient tous les navires à des centaines de kilomètres à la ronde. En deux heures, il ne reste que quelques survivants, au milieu des poissons qui remontent à la surface, tandis que les carcasses des navires descendent vers la nuit des fonds. La plus puissante de ces vagues est partie en direction de l'ouest, c'est une muraille d'eau qu'on pourrait voir du haut du ciel ; elle est si vivace qu'on la reconnaîtra encore, exténuée, entre l'Angleterre et la France, glissant vers sa fin à l'entrée de la mer du Nord, plusieurs semaines après l'explosion.

Le temps de la terre et du feu est fini, le temps de l'eau est fini. Mais le volcan, lui, continue de tuer par la voie des airs. La masse chaude et humide de pierre pulvérisée par l'explosion ne disparaît pas si facilement, et le nuage qui se forme survit pendant des années. Protégé par sa taille, ce nuage qui fut un volcan n'est pas dispersé par les vents : il est lui-même une tempête de sable, d'eau et de vent. D'abord il s'étire et s'arque comme un tigre, sur une hauteur de vingt kilomètres ; et dans un premier temps il a semblé immobile ; au bout de plusieurs heures il s'allonge, comme un prédateur paresseux, sur des kilomètres d'atmosphère, écrasant sous sa masse des milliers de tonnes d'air froid, et, appuyé sur elles, il s'en va lentement tournoyer dans tout l'hémisphère Nord, il s'en va modifier le climat, indifférent à tout. Partout où il passe, le Krakatoa, méconnaissable, transformé en géant d'eau, de terre et de feu, fait baisser la température moyenne de plusieurs degrés : ce faisant, il provoque des inondations, il hâte en diverses contrées la venue de l'hiver, pendant plusieurs années consécutives, et perturbe toutes les saisons. Durant l'été 1884, il grêle à Paris en août. Certains y voient un signe du Ciel ; d'autres rêvent à des ingénieurs du temps qui feraient pleuvoir sur les déserts pour en faire des jardins. Le défunt volcan compromet les récoltes et les vendanges, la pousse de certains champignons, la reproduction des bêtes, la santé des enfants et des vieillards. Il entraîne beaucoup d'hommes vers la ruine, vers la famine, vers la mort. Ce sont de pauvres pêcheurs d'anchois, sur les côtes occidentales de l'Amérique du Sud, qui ne trouvent plus leurs proies, frétillant en banc, à quelques encablures du rivage : le courant froid qu'ils suivent passe désormais bien plus au large, hors de portée des petits caboteurs bleu et blanc qui restent au port. Ce sont des viticulteurs que le gel contraint à des vendanges maigres et tardives, au nord du Portugal ; et partout en Amérique des miséreux qui survivaient en glanant les champs récoltés grattent des sols durs en maudissant leur sort, et vivent de racines.

Plusieurs années passent ainsi. Le temps est venu pour le volcan de s'effacer du ciel. Alors, comme s'il se souvenait, au moment de mourir, de son glorieux passé terrestre, le défunt Krakatoa se disperse à une vitesse croissante dans toutes les couches de l'atmosphère, provoquant des diffractions inédites de la lumière du soleil, inventant des aurores flamboyantes, des magnifiques couchers de soleil, qui semblent un océan de métal liquide, piqué de vert émeraude et de nuances d'ocre subtiles, des couchers de soleil comme de mémoire d'homme on n'en a jamais vu ; et le ciel se pare, la nuit, de bleus ultramarines. À Londres, à Paris, à Washington, les amateurs d'intempéries notent scrupuleusement ces nuances ; les têtes scientifiques échafaudent d'ingénieuses hypothèses ; les têtes poétiques font des vers. Les Occidentaux ont bien compris que l'explosion terrible de ce volcan, là-bas à l'autre bout de l'univers, a perturbé leurs saisons, mais ils ne savent pas trop comment ; cette ignorance ne durera pas : ils sont sur le point de percer bien des mystères, ceux de la circulation atmosphérique, ceux des fronts chauds et froids, et bien d'autres encore. Il ne reste plus rien de reconnaissable de l'île-volcan : les eaux du Pacifique se sont refermées sur ce qui fut Krakatoa ; le ciel a brassé et dispersé ses cendres aux quatre coins du monde ; au cœur de la terre la matière en fusion gronde et cherche d'autres passages vers la surface du globe. Le Krakatoa a fait des dizaines de milliers de victimes. Mais c'est trop tard. L'espèce humaine est trop nombreuse, trop puissante : elle ne s'éteindra plus, elle ne s'éteindra pas, ou alors elle s'autodétruira, et pour la nature c'est le commencement de la fin.

Désormais, de plus en plus souvent, Akira Kumo cherche à gagner du temps, à repousser la fin de l'inventaire de sa bibliothèque. Virginie Latour le sait bien et Akira Kumo sait qu'elle le sait bien. Quand l'un ou l'autre ne veut pas travailler, une timidité leur vient, et la conversation retourne, comme une sorte de tacite commémoration de leur première rencontre, au héros préféré du couturier et de sa bibliothécaire. Luke Howard, explique Akira Kumo à son employée, n'aimait pas la guerre, en un temps où beaucoup d'hommes l'aimaient ; en un temps où être un homme impliquait, profondément, que l'on aimât la guerre. Luke Howard est de plus un Quaker. Son dégoût de la guerre s'exprime en actes, avec courage. Le malheur des temps fait de lui le contemporain de Napoléon Bonaparte, le plus grand stratège et le plus grand criminel du dix-neuvième siècle, et des guerres les plus prestigieuses et affreuses d'Europe. En l'an 1815, par exemple, et pour la énième fois dans les trente dernières années, les talents militaires de ce général, héros de la Révolution française et traître à la République, ont encore laissé à travers l'Europe des milliers d'orphelins, d'infirmes et de veuves. En l'an 1815, une coalition gigantesque a mis fin, provisoirement, aux activités du général corse. Une flaque de sang et de boue commence lentement à sécher dans la plaine de Waterloo. Il a cessé de pleuvoir. La puanteur des chevaux crevés et des soldats gangrenés monte lentement vers le ciel radieux. Ces miasmes n'indisposent pas l'empereur des Français, en fuite vers Paris ; ce boucher est trop occupé à ruminer sa grandeur perdue.

Cette défaite des Français est aussi la revanche de la météorologie sur l'impériale bêtise de Bonaparte. En 1802, en effet, Napoléon Ier s'est amusé à railler publiquement un savant chevalier, venu à la cour présenter au plus illustre de ses concitoyens la première classification des nuages. L'ensemble a déplu au souverain, qui ne comprend pas qu'un esprit éminent se complaise à des travaux aussi futiles. Le Maître a même ricané, il s'est moqué du chevalier et de ses appellations baroques : nuages en forme de voile, nuages attroupés, nuages pommelés, en balayeurs ou groupés ; les valets de la cour ont ri avec l'Empereur, sans comprendre l'intérêt de tous ces nouveaux noms attachés à la vaine poursuite des nuées ; le savant parti, ils ont surenchéri. Le chevalier vient de comprendre que le monde qui s'annonce ne convient pas aux gens sérieux : il ne reparaît pas à la cour.

Au mois de juin 1812, Napoléon méprise toujours cette science nouvelle qu'on appelle météorologie ; le jeune officier de la Révolution n'aurait pas commis une pareille erreur. L'Empereur lance six cent mille hommes vers Moscou. Corse égaré dans une France tempérée, Napoléon peut prétendre ignorer, avec superbe, le temps ; son adversaire, le général Koutouzov, est un Russe de vieille souche ; il sait ce que coûtent les saisons. En septembre 1812, à la bataille de Borodine, Koutouzov recule en abandonnant Moscou, qu'il incendie. Il sait qu'un allié puissant, infatigable, attaquant de jour comme de nuit, et de nuit plus férocement encore que le jour, va venir à son secours : le froid. L'hiver russe approche. Le petit Corse inculte et borné s'obstine à mépriser la leçon des choses et les menaces des ciels de traîne russes. Il s'attarde dans les ruines de Moscou jusqu'au 12 octobre et, d'un coup, l'hiver est là, impitoyable. D'abord il tue des chevaux affamés, il brise leurs pattes dans les ornières gelées, il les fait rouler dans des fossés cachés par la neige, où ils agonisent, interminablement, saisis de longs frissons ; on les mange et, la nuit, on s'abrite dans les carcasses des bêtes, dont à l'aube souvent on ne se relève pas. L'hiver noircit le nez et les doigts des soldats, qui tombent sans bruit dans la neige, sous un ciel vide. Les hommes marchent mais l'hiver marche plus vite qu'eux. Les plus chanceux des soldats tombent d'un coup, morts sur les routes, dans un bruit de fagots. Des huit cent mille hommes qu'il a traînés là, le petit homme vieilli ne ramène intact que le cinquième. Et quand, le 18 juin 1815, il se met à pleuvoir sur la plaine de Waterloo, Napoléon n'a toujours pas compris, il n'a rien appris à Moscou, il accuse la fatalité. Et c'est fini, il s'enlise et précipite encore, une dernière fois, des milliers d'hommes dans la boue et la mort. Le grondement des batailles se dissipe et l'odeur des cadavres monte aux narines, dans toute l'Europe. C'est le moment d'agir, pour tous les Quakers, ils ont attendu ce moment en priant, en collectant des fonds. Dès que les liaisons civiles sont rétablies entre l'Angleterre et le continent, Luke Howard est l'un de ceux qui s'élancent vers le continent, pour secourir ses frères martyrisés par la guerre.

En juillet 1815, Luke Howard chevauche à travers les longues plaines de la Belgique. Il aperçoit un jour, à l'horizon, un nuage inhabituel, bas, noir et lourd, le seul nuage de son espèce dans un ciel dégagé par le crépuscule naissant. Son itinéraire heureusement le rapproche de cet étrange phénomène, et il va pouvoir satisfaire sa curiosité. À mille mètres du nuage, il finit par comprendre : les gaz exhalés par la décomposition de centaines de cadavres s'élèvent lentement au-dessus du hameau de Waterloo et de ses environs. Des millions de mouches tournoient, comme ivres, dans l'air du soir ; les oiseaux qui les chassent se régalent. Luke Howard se souvient que le Livre saint précise que l'un des noms du Malin est le Seigneur des Mouches. Et c'est exactement vrai : le diable est ici chez lui dans la plaine de Waterloo. Écartant les guides qui s'offrent déjà à faire visiter le champ de bataille, Luke Howard pousse son cheval affolé à travers un terrain labouré par les boulets, jonché de corps dénudés par les pillards, et qui fermentent au soleil depuis six jours. Il chevauche tard dans la nuit, vers les villes du Nord où l'on sait que de malheureux survivants se sont traînés, si lamentables que personne n'osera se venger sur eux du passé de l'Empire. Ce soir-là, avant de se coucher dans les ruines d'une grange, seul à veiller si tard sur ces morts oubliés de tous, déjà, Luke Howard prie. Il prie et recommande les âmes des victimes au Seigneur de toutes les choses.

À la fin du mois d'août, Luke Howard se trouve en Hollande. À La Haye il distribue des secours aux indigents ruinés par la fin de la guerre. Il visite à Haarlem une maison de réhabilitation destinée aux jeunes pécheresses. En réglant les détails de son voyage, là-bas, dans le confort paisible de Londres, Luke Howard n'a pu s'empêcher d'inclure dans son périple un petit détour : les Alpes, région dont on lui a vanté les curiosités météorologiques ; il souhaite notamment vérifier s'il est vrai qu'en montagne certains nuages restent immobiles, perchés sur une crête. Maintenant qu'il a distribué tous ses fonds, maintenant qu'il a offert toutes les Bibles qui chargeaient son pauvre mulet à ses frères et à ses sœurs les plus démunis, Luke Howard estime qu'il peut s'abandonner à son péché véniel : il va monter voir les nuages de près. À la fin du mois de septembre il parvient au pied des Alpes, et s'apprête à pénétrer en Suisse. Dans la difficile montée vers la passe de Saint-Amond, sur les conseils du paysan du Jura qui le guide, il met pied à terre pour ne pas affoler son cheval hollandais. Il progresse pendant une heure dans un brouillard épais, sur un sentier inégal, suivant les talons du paysan qui grimpe à pas prudents. Soumises à d'inhabituelles tensions, ses cuisses le brûlent. Au tournant du dernier lacet le petit cortège émerge du brouillard, et débouche enfin sur un replat de terrain ensoleillé. Pendant que son guide desselle sa monture et la mène boire, Luke Howard, dès que ses yeux se sont accoutumés à la lumière, se retourne vers la vallée. C'est alors seulement qu'il comprend, avec émerveillement, où il est. Pour la première fois de sa vie, et comme peu d'hommes en son temps en Europe, Luke Howard s'est hissé au-dessus des nuages qu'il a tant scrutés, et c'est à peine d'abord s'il les reconnaît, car le ciel des nuages est devenu mer : à ses pieds roule doucement, comme des vagues, l'écume des nuées ; le mont qui les surplombe encore de plus de mille mètres lui paraît désormais une île paradisiaque, flottant au-dessus de toute agitation humaine. Le vent est tombé ; l'air est un cristal pur. Il vient des larmes au yeux de Luke Howard ; il s'agenouille au bord du ciel et remercie son créateur. Puis il repense à Waterloo, il pense à toutes les créatures humaines qui s'agitent, oublieuses des grâces du monde, à des milliers de mètres sous ses pieds. L'océan nuageux assourdit le fracas de leurs malheurs, leurs cris de joie et de douleur, si bien qu'on pourrait croire vouloir rester là, pour toujours, au-dessus des nuages et au-dessus des hommes. Luke Howard se lève et remonte à cheval. Précédé de son guide, il franchit la passe, et redescend parmi les hommes.

DEUXIÈME PARTIE

Vers d'autres latitudes

A cloud is a visible aggregate of minute particles of water or ice, or both, in the free air. This aggregate may include larger particles of water or ice and non-aqueous liquid or solid particles, such as those present in fumes, smoke or dust.

International Cloud Atlas

Quand elle arrive le lendemain, il fait traîner les choses. Il est heureux de la revoir ; elle lui sourit de confiance, toute à sa joie de n'être pas renvoyée. Ensemble ils finissent d'inventorier les ouvrages de la collection, en se montrant des planches illustrées, en multipliant les remarques, sur l'état d'une édition ou le signataire d'une préface. Enfin Virginie lance une question, à propos du peintre Carmichael : quelle a été, demande Virginie Latour à Akira Kumo, la fin de ce peintre ?

Pour évoquer la fin de Carmichael il faut parler de son mariage avec Mary Bickford. Certaines allusions de son journal laissent à penser que, comme Newton, il s'était, jusqu'à cette union en 1809, conservé pur des œuvres de la chair, afin que soit préservée l'intégrité de son génie. Il rencontre Mary Bickford trois ans avant de pouvoir l'épouser. Elle n'est pas belle, c'est autre chose en elle qui le chavire. De toute façon la beauté des femmes ne présente aucun intérêt pour Carmichael. Mais lorsque Mary Bickford entre dans un lieu public, il faut faire un effort pour ne pas la regarder, on pense à des choses douces et belles, on se sent vaguement triste aussi. En 1806 Carmichael est en Cornouailles avec Sir George, dans le village de Rosemerryn. Un dimanche il accepte de se rendre à l'office, pour complaire à son protecteur que désole son athéisme joyeux. Carmichael regarde les fidèles, pour passer le temps. Il y a cette femme qu'il voit de profil, sans chercher à distinguer ses traits. À la sortie du temple il lui parle sans savoir ce qu'il dit. Elle se nomme Mary Bickford. Elle est sans fortune et, comme ses parents et son frère, pieuse et rongée par la tuberculose. Elle aime immédiatement cet homme-là. Il les suit de loin, jusqu'à la petite métairie qu'ils occupent à l'orée du village. Trois jours plus tard, pendant que Sir George négocie chez un berger de Rosemerryn l'achat d'une poterie qu'il croit romaine, Carmichael s'éclipse, court chez les Bickford et fait sa demande. D'abord on fait bon visage au protégé de Sir George. Les Bickford viennent ensuite à l'interroger sur sa foi et Carmichael, qui s'est juré de ne mentir plus depuis qu'il a échappé à l'autorité paternelle, leur dit nettement ce qu'il en est : il ne croit ni à dieu ni à diable. Le père aussitôt met fin à leur discussion. Mary est autorisée à raccompagner le jeune homme. Ils marchent sans mot dire, ensemble, et tout leur paraît simple, évident. Il dit qu'il doit rentrer à Londres et qu'il l'attendra. Elle dit qu'elle viendra, un jour. Trois ans plus tard Mary Bickford est à Londres, et Carmichael l'épouse sans broncher, à l'église de sa paroisse. Ils ne sont même pas étonnés. La tuberculose a emporté sa famille. Mary ne connaît rien à la peinture.

Ni l'un ni l'autre ne connaissent les choses de l'amour ; elle sait seulement que l'union selon la chair est bénie dans le sacrement du mariage et, quand elle jouit, elle se cramponne à son mari comme une noyée. Sinon elle reste tranquille, heureuse comme un paysage. Le dimanche elle se rend à l'église, et elle prie pour le salut de Carmichael, sans douter un instant de pouvoir sauver ce mécréant. Parfois le pasteur glisse des allusions à la brebis égarée ; elle ne les comprend même pas. Elle n'a besoin de rien, elle n'a besoin de personne. Carmichael a trouvé sa femme. Elle ne dit jamais rien de sa peinture ; quand une toile est finie, elle l'accueille comme un visiteur nouveau, avec politesse et confiance.

L'heure tourne et Akira Kumo s'en aperçoit. Il doit remettre au lendemain la suite de cette histoire. Quant à la collection, ils auront fini dans le courant de la semaine, sans doute. Il ne reste à inventorier que quelques boîtes de carton ocre ou vert, de toutes tailles : la collection de manuscrits, de lettres et documents apparentés ; ce sont les pièces préférées d'Akira. Il les a gardées pour la fin, et cet ensemble paraît encore plus hétéroclite que le reste. On y trouve un exemplaire de tête de la luxueuse *Météorologie de l'Univers* éditée par le mécène de la météorologie française au dix-neuvième siècle, Teisserenc de Bort ; l'exemplaire est enrichi des notations manuscrites, en français, de William Svensson Williamsson, le plus grand des météorologues suédois. On y trouve également — et Akira s'en réjouit comme un enfant, à l'idée d'en faire la surprise à sa complice — les rares manuscrits

conservés de Luke Howard. Ce sont ceux qui ont
été le plus difficile à obtenir ; la Société des Amis,
qui en a hérité, refusait poliment mais sèchement
de s'en défaire. Mais un conseiller américain
d'Akira Kumo, familier du mode de pensée des
Quakers, a eu l'idée qu'il fallait : échanger cette
liasse de papiers contre un don massif à une fondation pour la Paix en Irlande, animée par les
Quakers. Kumo possède également une copie au-
tographe d'une courte lettre de Goethe à Luke Howard, acquise à New York, ainsi que le manuscrit
original de la conférence de 1803, avec des correc-
tions marginales de l'auteur, arrachée du côté
d'Alicante, à un bibliophile espagnol à demi fou,
passionné d'ésotérisme, et qui prétendait montrer
qu'Howard était franc-maçon. Il y a ensuite encore
une dizaine de pièces moins intéressantes ac-
quises, pour ainsi dire, pour le principe. Le lendemain matin Virginie Latour est là, de nouveau.
Akira Kumo dévoile ses trésors ; elle les admire,
comme il convient ; ils se mettent joyeusement au
travail, sans lever le nez l'un vers l'autre, tout à ce
doux plaisir d'être ensemble. Vers le milieu de leur
matinée, Akira Kumo prend la parole. Virginie lui
sourit, bien qu'elle lui tourne le dos. Elle s'assoit
dans son coin préféré, contre la baie vitrée. Elle
écoute le récit des dernières années de Carmichael.

Au début du mois de septembre 1812, un mois
après avoir réalisé la dernière de ses études de ciel,
il pense avoir compris : il faudrait, pour en rendre
l'exacte beauté, pouvoir effectuer, en une heure,
des milliers de dessins, et les montrer les uns
après les autres, le plus rapidement possible, au

spectateur. Mais comment ? Carmichael en est là ; il ne se rend pas compte qu'il bute sur des questions absurdes, comme un idiot qui frapperait sa tête contre un mur, méthodiquement, pour y ouvrir un passage. À la fin du mois de septembre il a cessé de peindre, la peinture a fait son temps. Il est persuadé qu'il est sur le point de percer le secret des nuages. Il est maintenant à peu près fou ; Mary est le seul point qui le rattache à la terre des hommes ; il reste tout le jour dans la lande de Hampstead, à observer les mouvements de contraction et d'expansion de ces masses que l'on appelle maintenant des nuages adiabatiques. Il s'est aperçu que les plus gros nuages ne cessent de croître, apparemment en raison de la chaleur du jour, puis qu'ils se rétractent au couchant. Alors il note que seule une machine pourrait produire des séries, que mécaniquement elle intitulerait en fonction de l'heure, de l'état général de l'atmosphère, et que, par un procédé spécial, cet automate parviendrait à reproduire, sur une surface plane, les mouvements de marée des nuages, avec une exactitude scientifique.

Comment Carmichael pourrait-il s'en sortir ? Le pauvre Sir George, en dirigeant l'éducation de son protégé, a jugé que la philosophie pourrait dessécher son génie. Et sans doute il suffirait même d'une personne, d'un ami, à défaut d'un ami un confrère bienveillant ferait l'affaire, pour le dissuader de s'obstiner à descendre cet escalier tournant, sombre et froid. Mais il est seul. Au bout d'un mois passé à déchirer des croquis de sa machine-temps, à s'affoler devant la complexité

117

grandissante des ciels d'octobre au-dessus de Hampstead, il est frappé par une nouvelle illumination : il sait alors, avec une certitude absolue, que le temps chronologique et le temps climatique ne sont qu'une seule et même chose. Ces contractions des nuages adiabatiques sont l'expression de cette périodicité, de cette cyclicité du temps, comme le sont les saisons. Tout revient. Tout revient et pourtant rien ne change. Une immense euphorie l'envahit : ce qu'on appelle le temps ne passe pas, il n'est que différents états de l'espace ; ce qu'on appelle la mort n'existe pas, elle est le passage d'un état de la matière à un autre. Il est tellement exalté qu'il explique sa découverte à Mary. Ni elle ni lui n'ont à craindre la mort ; car les particules qui les composent ne disparaissent pas ; bien au contraire, la prétendue mort ouvre de nouvelles possibilités de vie ; il est absolument inévitable qu'un jour les particules qui les composent, Mary et lui, se réassembleront ; certainement, pourtant, selon des formes très différentes ; et sans doute, dans ce futur particulaire, ils se reverront, mais ce sera peut-être sans se reconnaître. Enfin, ils ne seront jamais séparés, dans cet univers fondamentalement un. Ensuite, inexorablement, un autre peintre viendra, probablement assez semblable à lui, Carmichael, mais qui percera les secrets du ciel. Mary ne dit rien, et sourit.

À la fin de l'année 1812, Carmichael rentre de la lande de Hampstead plus tôt qu'à l'accoutumée, il avale le reste du véronal qu'il vient de faire boire à Mary en lui disant que c'est une potion. Depuis dix jours il entasse des produits inflammables dans la petite maison. Il allume une mèche lente et se couche aux côtés de son épouse. Il est probablement déjà mort quand une bourrasque pousse la fenêtre de la cuisine du 2, Lower Terrace, et souffle la mèche : la maison ne s'enflammera pas. C'est l'odeur des cadavres qui finit par déranger les voisins. Il n'y a pas d'héritier connu. La femme du pasteur fait vendre tous leurs biens pour donner des aumônes aux pauvres du village ; Sir George fait racheter un coffre de marin où Carmichael a jeté tous ses documents et carnets de bord ; mais le confesseur du vieil esthète est impitoyable : il doit se séparer du coffre, par pénitence. Sir George s'exécute en le donnant à un savant de ses amis qui le remercie avec effusion, et oublie l'objet dans son grenier pendant les trente ans qui lui restent à vivre. Le coffre voyage, avec son contenu, de succession en succession, et refait surface en 1997 dans une vente à Madrid ; comme il contient un exemplaire de l'édition originale des *Recherches météorologiques* de Forster, Akira Kumo le fait acheter. C'est tout ce qui reste de Carmichael.

Durant l'été 2005, les histoires de Akira Kumo se font de plus en plus courtes, de plus en plus décousues. Ses histoires sont également de plus en plus tristes, mais ce n'est pas sa faute : confusément, pour aider son auditrice à mieux comprendre, il s'est conformé, à peu de chose près, à un ordre chronologique ; il se rapproche de plus en plus du vingtième siècle. Était-ce un siècle pire que les autres ? Nous paraît-il tel parce qu'il est le plus récent ? Il semble à Virginie Latour que tout s'assombrit. Mais Akira Kumo ne s'en aperçoit pas ; bien au contraire il montre une sorte de jubilation nerveuse, tendue, au récit des anecdotes les plus désemparantes. Tout cela est absurde. Chaque nuit des cauchemars le laissent pantelant, harassé et suant. Ce sont toujours les mêmes : ou bien il est dans une eau noire, il arrive à la surface mais ne peut pas respirer, la surface est elle-même une eau noire, à la surface de laquelle il parvient pour constater que l'eau noire est encore là pour sa suffocation, et ainsi de suite pendant ce qui lui semble de longues heures et qui n'est peut-être, selon l'horloge folle de notre cerveau, qu'un dixième de seconde ; ou bien il rêve qu'il entend des bruits chez lui, il sait que des hommes viennent le tuer et pourtant il ne peut s'éveiller, ils entrent et il a beau bondir hors de sa couche, courir loin de sa chambre, ces hommes le rattrapent et calmement l'égorgent. Souvent il se réveille debout dans un salon ou un couloir, hébété, humilié et fourbu.

Quand le mathématicien Lewis Fry Richardson, commence Akira Kumo en époussetant un classeur que lui passe Virginie, est nommé superintendant de l'observatoire d'Eskdalemuir, dans le nord de l'Écosse, il est âgé de trente-trois ans ; il est quaker depuis toujours. Il n'a jamais de sa vie pensé sérieusement aux nuages. Il est pourtant lointainement apparenté, par sa mère, à Luke Howard, mais il l'ignore. Richardson a accepté ce poste en pensant que le climat serait propice à la femme qu'il aime. Elle se prénomme Stella. Nous sommes en 1911. Cette année-là, Stella subit leur septième fausse couche. En 1911, on ne sait pas ce que c'est qu'un groupe sanguin. Ceux de Stella et de Lewis ne sont pas compatibles ; chaque soir Lewis Fry Richardson prie son dieu ; Stella a cessé d'y croire à la cinquième fausse couche, mais elle le cache à l'homme qu'elle aime, pour ne pas le peiner. L'observatoire d'Eskdalemuir est planté sur une lande désolée. Dans tout le Royaume-Uni c'est l'endroit qui dispose de la plus forte pluviométrie, mois par mois et en total cumulé. Parfois Lewis Fry Richardson pense que Dieu les a oubliés là ; puis il se reprend. En tant que mathématicien, il se passionne pour les équations différentielles. Le temps passe, des années comme un jour. En 1914, l'été n'a jamais été aussi beau sur toute l'Europe ; au point que parfois même il ne pleut pas sur Eskdalemuir pendant plusieurs jours. Très loin au sud-est de l'observatoire, une guerre éclate, comme d'habitude, en Europe. Lewis est un fervent Quaker et un loyal sujet de l'Empire britannique. Il s'apprête à être envoyé au front, et à refuser de porter une arme, mais on ne lui demande pas son avis. L'observatoire, comme tous les services publics considérés comme stratégiques, passe sous l'autorité militaire. Un colonel poli et discret vient s'installer dans le bureau contigu à celui du superintendant. Scientifique de haut niveau, Lewis Fry Richardson est jugé trop précieux pour la Couronne : il n'ira pas mourir dans la boue des tranchées. Il remercie Dieu de l'avoir placé au bout du monde, au service pacifique de son pays. Sa naïveté est sympathique, mais confondante. Car il cherche un moyen de se rendre utile à la paix pendant que des millions d'hommes en Europe commencent à pourrir, vifs et morts confondus, dans les tranchées, de la Marne à la Somme. Pour dompter ses équations différentielles, il a pris l'habitude de longues randonnées à travers la lande désolée d'Eskdalemuir, au milieu d'un ciel tourmenté. Lewis pense avoir trouvé sa voie : il va atteler ses équations préférées à une tâche titanesque : tenter de décrire grâce à elles le comportement de l'atmosphère terrestre. Il va presque y parvenir.

Comme souvent, l'invention se présente de façon oblique : aucun mathématicien raisonnable n'imaginerait de confronter la relative simplicité des équations différentielles avec l'effroyable complication des phénomènes climatiques, et Richardson pas plus qu'un autre ; mais la solution qui va faire entrer la météorologie dans sa phase proprement scientifique est d'une platitude effarante, une fois que nous la connaissons. Richardson imagine tout bêtement de fractionner les calculs complexes que supposerait la prévision numérique du temps en une série de calculs simples. Il est le premier à voir le problème de cette façon, et c'est bien de cela qu'il est question dans l'invention scientifique, dans toute invention, il s'agit de voir, puis de faire voir aux autres. Lewis Fry Richardson est le premier à voir la Terre comme une sphère quadrillée : il divise la surface du sol terrestre en cubes de deux cents kilomètres de côté, ce qui représente trois mille deux cents cubes ; seuls deux mille de ces cubes, pense-t-il, requièrent des calculs, le temps autour des Tropiques étant selon lui éminemment prévisible. Il faut maintenant affecter à chaque cube assez de calculateurs pour que le météorologue puisse disposer d'une avance significative, une avance de vingt-quatre heures par exemple, sur le temps. Lewis Fry Richardson estime le nombre de ces calculateurs à trente-deux ; il suffirait donc de réunir soixante-quatre personnes formées au calcul rapide, et le projet Organon pourra voir le jour. Nous construirons, explique Lewis à Stella qui n'est toujours pas enceinte, tandis qu'ils se promènent sous la pluie, un bâtiment dont la paroi interne est sphérique ; sur cette paroi, la carte du monde : au plafond le pôle Nord, au plancher l'Antarctique ; sur une tour centrale, faisant face à leur cube de calcul représenté sur la paroi du bâtiment, des groupes de calculateurs. Et en quelques heures, sur le bureau du directeur, une demi-sphère entièrement vitrée posée sur le toit de l'Organon, le sous-directeur pourra venir poser le premier bulletin de prévision numérique du temps. De l'Organon partiront mille dépêches, d'abord aux quatre coins de l'Angleterre, ensuite dans toute l'Europe, dans le monde. Des dépêches qui sauveront des vies en annonçant des inondations, des tempêtes, des gels subits, des redoux trop brusques.

Lorsque Richardson publie l'article visionnaire qui décrit l'Organon Eskdalemuir, le silence qui l'accueille est poli, mais assourdissant. Son projet, à l'évidence, est tenu pour idiot ; il met six semaines à comprendre qu'on le voit ainsi, aux silences embarrassés de certains de ses collègues de l'observatoire, à la sécheresse de confrères londoniens qui le remercient pour le tiré à part. Il vient pourtant de poser le principe du calcul des cartes météorologiques qui sera celui de plusieurs générations d'ordinateurs. Le seul problème est que le premier ordinateur opérationnel ne sera pas construit avant une bonne vingtaine d'années. Inventer quelque chose avant qu'en soit ouverte la possibilité technique cela s'appelle, au royaume des sciences, un échec cuisant, et Lewis Fry Richardson le sait bien. Il renonce à cette recherche, confus et déçu. Heureusement son dieu a fini par entendre sa prière : Stella Richardson est enfin enceinte. Sa beauté classique lui a toujours valu une cohorte de soupirants. Stella a choisi de céder au colonel parce que c'est un gentleman et le seul homme, à Eskdalemuir, qui ressemble vaguement à son mari. Elle a dû subir plusieurs fois ses assauts, mais qu'importe : Lewis est radieux. C'est un fils. Ragaillardi par cette naissance inespérée, et soucieux de restaurer son image de scientifique solidement ancré dans les réalités les plus utilitaires, Lewis Fry Richardson perfectionne un appareil de mesure simultanée de la vitesse et de l'hygrométrie du vent, qui ne pourra que faciliter la navigation et l'aviation naissante. Il reçoit les plus vives félicitations des autorités civiles et militaires. Ce n'est que six mois après la fin de la guerre, par un hasard incroyable, que Richardson comprend enfin. Il rencontre dans une manifestation pacifiste, à Londres, le capitaine O'Hara, récemment admis dans la Société des Amis et ancien chef démissionnaire de la première escadrille anglaise de reconnaissance aérienne du Royaume-Uni. Richardson ne connaît pas O'Hara, mais O'Hara connaît bien Richardson. Et il finit par lui dire pourquoi : pendant les deux dernières années de la guerre, l'anémo-hygromètre Richardson a fait les beaux jours de l'aviation britannique. Cet appareil a permis de résoudre la question, délicate entre toutes, de l'usage efficace des gaz toxiques. L'armée a utilisé son invention pour la propagation de ces gaz, car elle est fort dépendante de la direction des vents et du taux d'humidité de l'air ; lâché à l'endroit idéal, le gaz toxique se répand de façon homogène, dans une zone d'une hauteur de zéro à six mètres qui ne laisse aucune chance au soldat ennemi. L'anémo-hygromètre Richardson, fourni à des éclaireurs au sol, a certainement été un élément décisif de la victoire. Ce sera la dernière invention scientifique de Lewis Fry Richardson.

En 1946, le premier ordinateur voit le jour ; il faut encore six ans pour qu'une de ces nouvelles machines, un appareil de type Eniac, soit affectée pour la première fois dans toute l'histoire au calcul d'une prévision météorologique. L'opération se déroule aux États-Unis d'Amérique, dans l'État du Maryland. Sans la moindre amertume, Lewis Fry Richardson écrit immédiatement à son estimé collègue John von Neumann pour le féliciter. Mais il ne reçoit aucune réponse.

Dans les années vingt, Richardson, qui a démissionné de toutes ses fonctions de chercheur, se laisse néanmoins inviter au King's College de Londres à une conférence de l'un des pères de la physique moderne, Erwin Schrödinger. Schrödinger développe brillamment une approche généraliste, étrangement abstraite aux yeux de Richardson. Il appelle cette approche holiste, il lance des idées baroques ; il dit ainsi qu'il faut considérer un nuage comme une boîte noire, absolument impénétrable, mais susceptible d'être comprise comme ce qui se passe entre un état A donné au temps T, et un état B au temps T+1. Richardson finit par reconnaître là certaines de ses anciennes préoccupations ; mais il constate avec tristesse qu'il ne comprend rien aux propos proprement mathématiques de son cadet ; il se sent vieux. Il a soixante ans. Au cocktail qui suit sa prestation, au bar d'un grand hôtel du Strand, Schrödinger apprend que Richardson a assisté à sa conférence, et demande à serrer la main de celui qui a ouvert la voie qu'il prolonge maintenant. On cherche sans succès Lewis Fry Richardson. Il va consacrer le reste de son existence à tenter de modéliser mathématiquement les tendances des groupes humains à se faire la guerre. Il meurt, entouré de l'affection de sa femme et de ses trois enfants. Ses travaux ne rencontrent pas le moindre écho.

Akira Kumo voit venir la fin : il n'aura bientôt vraiment plus rien à raconter. Mais le hasard vient à son secours à point nommé. Akira Kumo reçoit de Londres un appel : on lui fait savoir qu'Abigail Abercrombie est mourante.

Il semble que toute collection gravite autour d'une pièce manquante, sorte de moyeu autour duquel peut tourner, indéfiniment, la folie collectionnante de son propriétaire. Soit que la pièce en question passe pour irrémédiablement perdue depuis des lustres ; soit que le propriétaire en garde farouchement la jouissance. Pour la collection d'Akira Kumo, ce document manquant porte un nom célèbre dans les milieux spécialisés : le protocole Abercrombie. Il se trouve être la propriété de la fille de son auteur, Abigail. C'est elle qui va mourir incessamment, à Londres. Le protocole Abercrombie n'existe bien sûr qu'en un seul exemplaire ; mieux : personne ou presque n'a été autorisé à le consulter depuis sa rédaction. Car c'est là une autre originalité de cette pièce : elle est célèbre sans que personne l'ait jamais lue ou même vue.

Comme tous les amateurs, le couturier connaît la seule description officielle du Protocole qui ait jamais été publiée. Elle date de 1941, et ne concerne que les aspects physiques du document. On sait donc que le protocole Abercrombie est un fort volume de quarante centimètres sur cinquante ; que sa couverture, constituée de carton épais vert bouteille, ne porte aucune inscription ; que la reliure consiste en une mâchoire de six anneaux d'acier inoxydable. Le Protocole comprend sept cent trente-deux pages, numérotées en chiffres arabes à l'encre violette ; un nombre élevé mais non déterminé d'illustrations et de textes manuscrits de toutes tailles couvrent cinq cent dix-sept pages de cet ensemble ; le reste du volume est vierge. Le Protocole est en parfait état de conservation, si l'on excepte deux minuscules taches d'humidité sur le dos du volume. Et c'est tout.

Mais, au mois d'août 2005, le protocole Abercrombie est toujours le plus imposant des serpents de mer météo-bibliographiques, l'ouvrage le plus célèbre et le moins lu de son genre. Il n'a eu qu'un seul lecteur : le défunt Richard Abercrombie (si tant est que l'on puisse lire véritablement son propre travail) ; et peut-être une lectrice, sa fille adoptive Abigail, laquelle a toujours refusé d'en évoquer la teneur. Sur Richard Abercrombie Jr, le fils de l'héritière, on ne sait pas grand-chose. Richard Abercrombie est mort en 1917. Le *Times* a signalé cet événement, dans une notice nécrologique d'une demi-page ; preuve que Richard Abercrombie fut quelqu'un, en son temps, pour un temps ; diverses sociétés savantes ont fait envoyer, de tout le Commonwealth, d'Europe, des États-Unis d'Amérique, des couronnes mortuaires et des messages de condoléances, longs et vagues. Et maintenant il y a au cœur de Londres, au début du mois d'août 2005, au sixième étage de l'hôpital Whittington, dans l'unique lit de la chambre 64, une vieille dame mourante qui est la fille de cet homme-là : Abigail Abercrombie. Personne n'est jamais parvenu à entamer ne serait-ce que des préliminaires de négociations avec la vieille dame. Akira Kumo ne pense pas une seconde que cette peste notoirement excentrique et acariâtre acceptera de vendre le Protocole sous le prétexte trivial et ridicule qu'elle se trouve à l'article de la mort. De toute façon Akira Kumo tient là un moyen de gagner du temps.

Il s'agit, explique-t-il patiemment à Virginie Latour, de convaincre une vieille dame de vendre une sienne possession connue sous le nom de protocole Abercrombie. Pendant des années Abigail Abercrombie s'est même refusée à recevoir les représentants des acheteurs potentiels, privés ou institutionnels, de ce document. Ce refus est d'autant plus curieux que la cupidité d'Abigail Abercrombie est connue de tous les spécialistes : c'est elle-même qui dès l'année de la mort de son père adoptif démarche les spécialistes pour commencer à vendre tout ce qui peut l'être : le *Journal météorologique*, la correspondance avec tous les grands noms de la météorologie, sa collection d'aquarelles de ciels, dont plusieurs pièces importantes de Boudin et de Constable, tout cela a été dispersé depuis longtemps aux quatre coins du monde des affaires, malgré des offres de rachat honorables émanant des autorités culturelles anglaises. Abigail n'a jamais voulu discuter la vente du protocole Abercrombie. L'entourage d'Akira Kumo en sait quelque chose. Le couturier ne s'est jamais explicitement présenté devant Abigail Abercrombie sous son nom : entre autres idées d'un temps révolu, Abigail Abercrombie a celle de tenir les Jaunes et les Noirs pour des êtres inférieurs au cheval et au chien, qu'on peut dresser. La mission de Virginie Latour, si elle l'accepte, consistera à se présenter comme une innocente admiratrice de Richard Abercrombie, et de voir comment les choses se présentent.

L'agence de renseignements chargée par Akira Kumo de surveiller Abigail Abercrombie a fait honneur à son excellente réputation : le petit dossier bleu qu'on remet à Virginie à la gare est très complet. Dans le train pour Londres, Virginie se demande ce qu'on peut bien dire à une mourante qu'on ne connaît pas pour lui acheter un manuscrit de son père. Dans le rapport de l'agence, on a glissé une photographie, la plus récente qu'on ait pu prendre d'Abigail Abercrombie ; sur ce cliché, obtenu au téléobjectif, on dirait qu'elle regarde le photographe. Elle paraît avoir soixante-dix ans, au moins. Elle ressemble exactement à l'idée que se forment d'une sorcière les êtres sans imagination. Virginie Latour ne s'en fait pas trop ; on lui a bien indiqué que ses chances de réussite sont minimes ; elle aime tant parler l'anglais qu'elle serait allée à Londres pour rien.

Highgate est une très jolie colline résidentielle, peuplée de chirurgiens débordés, de vedettes montantes de l'industrie musicale, de marchands d'antiquités indonésiennes vieilles de six mois, et d'une façon générale de toutes sortes de riches qui jouent à être simples, à vivre avec de vraies gens. Mais, peut-être par souci d'économie, Abigail Abercrombie a choisi d'être hospitalisée dans l'hôpital public de Whittington. Virginie parvient à l'hôpital fort contente d'elle-même, car elle a parfaitement compris les propos du chauffeur de taxi, originaire du nord du pays de Galles ; elle réédite cet exploit à l'accueil du service de gérontologie, avec un infirmier né dans l'East End de l'immigration pakistanaise. En un temps record elle parvient au sixième étage, chambre 64. Elle frappe, elle entre : c'est une pièce propre et claire, mais naturellement affreuse, et accessoirement vide. Elle ressort. Une civière d'ambulance est garée contre le mur, juste à gauche, recouverte d'un drap plastifié qui adoucit sans peine les contours d'un corps minuscule comme celui d'un enfant. Virginie soulève le drap, dans un élan de curiosité. La vieille femme est reconnaissable, mais elle ne semble plus du tout méchante ; personne apparemment n'a fermé ses yeux qui fixent, desséchés et voilés, les plaques du faux plafond. Le corps commence à puer légèrement. Virginie sursaute parce que quelqu'un, dans son dos, vient de lui dire bonjour, doucement pour ne pas l'effrayer.

Maintenant, Akira Kumo est épuisé ; il n'est pas seulement fatigué. S'il était fatigué il lui suffirait de faire une cure de sommeil, ou de prendre des vitamines, ou de passer une heure par jour dans un caisson à oxygène. Mais il est épuisé ; et, comme une nappe d'eau qui a passé le point où elle peut se renouveler, avec le temps, Akira Kumo se tarit, sûrement et lentement. Il n'a jamais eu grand-chose à dire à personne, et les journalistes, après s'être plaints, jadis, de son laconisme, ont fini par trouver cela merveilleux, tellement japonais. Du côté de Virginie, il a gagné plusieurs jours. Mais après ? Akira Kumo est trop épuisé pour s'élever jusqu'à la pensée de l'après. Naturellement tout pourrait être simple : il pourrait dire à Virginie Latour qu'il veut juste l'avoir à ses côtés, un peu tous les jours ; et Virginie Latour accepterait immédiatement. Tout pourrait être beaucoup plus simple. Tout pourrait toujours être beaucoup plus simple, mais rares sont les êtres qui savent s'élever à la hauteur d'une telle simplicité. Au lieu d'appeler son émissaire à Londres pour le plaisir de lui parler, il s'installe à son bureau. Il n'a pas écrit une seule lettre depuis trente ans ; à soixante-sept ans, Akira Kumo, pour la première fois de toute son existence, s'apprête à écrire à une amie. Jusque-là il n'a jamais eu — mais le mot et la chose sont, pour lui, extrêmement riches à tous égards — que des collaborateurs ; ou des maîtresses. Il ne sait pas trop par où commencer.

Une très vieille femme vient de mourir dans la chambre 64 de l'hôpital Whittington, au cœur du quartier de Highgate à Londres ; son cadavre a été immédiatement remisé dans le couloir, pour faire de la place ; on nettoie maintenant sa chambre. Le gros homme qui a fait sursauter Virginie Latour lui sourit, penché sur elle. Il fait partie de ces êtres qu'on ne peut imaginer avoir été maigres, ou petits, et qui pour cela semblent toujours avoir le même âge. Il peut avoir la cinquantaine, dix ans de plus ou de moins. Il répète poliment sa première question, puisque la jeune femme semble ne pas avoir entendu. Connaissait-elle sa mère ? Elle ne peut répondre non, elle ne peut répondre oui. Elle choisit d'expliquer ce qu'elle fait là. Le gros homme dit que le Protocole n'est pas à vendre. Impossible de savoir s'il énonce une évidence, ou s'il émet un regret. Il sourit toujours. Virginie n'a plus rien à faire là. L'infirmier pakistanais qui l'a tout à l'heure renseignée s'avance maintenant vers le fils Abercrombie avec une mine de circonstance ; il commence à évoquer les derniers instants de la 64, et il omet charitablement de rapporter les insultes dont cette harpie l'a abreuvé, jusqu'à son dernier souffle. Virginie en profite et se dirige vers l'escalier, au bout du couloir. Dans le hall de l'hôpital, elle entend de nouveau la voix du gros homme. Il a pris l'ascenseur, il tient à préciser qu'il n'est pas fâché, que simplement sa mère a tellement vendu d'objets appartenant à Richard Abercrombie qu'il peut bien ne pas vendre celui-là. Il dit que l'enterrement aura lieu dans deux jours, à huit heures et demie. Et, comme Virginie se sent vaguement coupable d'avoir fait irruption dans la mort de cette vieille femme, elle dit qu'elle y sera ; elle note l'adresse et prend congé.

Dans sa chambre d'hôtel Virginie regarde la télévision de midi à cinq heures de l'après-midi, parce qu'elle n'a jamais eu l'occasion de regarder les chaînes câblées. Puis elle rend compte à l'hôtel particulier de la rue Lamarck de la situation Abercrombie. Akira Kumo est en rendez-vous à l'extérieur et ne peut être dérangé. Le mieux est qu'elle reste un peu là-bas, pour voir. Virginie Latour est tout à fait d'accord. Pendant deux jours elle est dans la ville qu'elle préfère au monde. Elle marche sans but dans les petites rues chinoises de Soho. Elle visite un musée nouveau, qu'elle n'avait jamais vu. Le soir elle se caresse dans sa baignoire, par crainte de tremper le matelas, puis elle s'endort devant la télévision. Le matin de l'enterrement, qui est un vendredi, elle part très tôt, pour ne pas être en retard.

L'enterrement d'Abigail Abercrombie a lieu sur les hauteurs de Highgate, juste derrière l'hôpital de Whittington ; le cimetière est séparé en deux par une rue étroite, absolument déserte à cette heure, et bordée par des hauts murs de résidences privées, coiffés de barbelés et de caméras panoramiques. Son taxi la dépose et repart. La partie occidentale du cimetière paraît à l'abandon ; mais le concierge de la partie moderne lui indique l'autre côté de la rue. Elle traverse et passe sous un porche hideux, quelque chose comme l'idée qu'un architecte gâteux, et fou de Walter Scott, se ferait de l'entrée d'un château fort. Elle s'annonce auprès d'un concierge qui semble le jumeau de l'autre, et qui s'offre à lui montrer le chemin. Ils remontent l'allée principale. C'est un très vieux cimetière. Il a servi de décor à tant de films d'horreur, à tant de clips résolument gothiques, à tant de publicités pour shampooings d'inspiration préraphaélite qu'on a l'impression irraisonnée de connaître l'endroit, qu'on vienne de Melbourne ou d'Helsinki. Le cimetière occidental de Highgate a connu son heure de gloire à la fin du dix-neuvième siècle, en un temps où mourir faisait partie de la vie sociale et mondaine. Le cimetière occidental de Highgate est absolument chic et incarne un fantasme profondément anglais : la possibilité de se faire enterrer dans la nature, en plein cœur de la ville. L'endroit en effet tient du parc abandonné et du bois touffu, et l'impression désagréable de facticité s'efface peu à peu lorsqu'on s'y engage, tandis que monte des sous-bois couverts de tombes cette puissante odeur d'humus qui est l'haleine de la terre. On aperçoit de tous côtés, dans les allées herbeuses, dans les trouées des fourrés, des friches de tombes romantiques où des angelots crasseux côtoient des cerfs et des madones rongés par les mousses. La beauté absolue du lieu enveloppe enfin Virginie Latour. Elle se dit qu'il serait bon d'être inhumée là, d'y pourrir lentement, sous les feuilles mortes et les herbes folles. L'allée est étroite, elle marche derrière le concierge qui souffle ; ils ne disent plus rien, car la pente est rude et le sol raviné. La journée promet d'être trop chaude, mais pour l'instant la température est parfaite, et l'air calme comme un soir.

Le concierge s'immobilise sur une sorte de replat d'où partent trois sentiers, et s'effaçant il désigne celui de droite à la visiteuse. Elle s'y engage et parvient dans une sorte de clairière tapissée d'une herbe courte. Tournant le dos à un petit cercueil posé à l'ombre sur des tréteaux, le gros homme de la veille, les mains dans les poches, en plein soleil matinal, regarde au loin, vers le sud. Il porte un costume de circonstance, qui le vieillit un peu ; il peut avoir soixante ans. Essoufflée, craignant d'être en avance, Virginie prépare des phrases, mais Richard Abercrombie l'entend arriver, lui sourit, l'arrête d'un geste, et, la poussant légèrement devant lui, il fait un geste large du bras : elle découvre alors, au-dessus des frondaisons du cimetière, toute la ville de Londres étendue à leurs pieds, dans l'air sec du matin. Ils restent longtemps, sans rien dire. Virginie ne cherche même pas à reconnaître des monuments, à se décrire ce qu'elle voit ; elle laisse le paysage descendre en elle, toute cette puissance étendue la remplit de joie. Il est huit heures et demie. Quatre employés du cimetière sont là, rangés avec tact au bord de la clairière et parlant bas. À tout hasard, on décide d'attendre une demi-heure. Richard Abercrombie ne sait pas si d'autres personnes ne vont pas se présenter pour la mise en terre ; il n'a reçu aucune confirmation malgré les faire-part qu'il a publiés dans les grands quotidiens nationaux. En attendant, il propose de faire quelques pas. Il se met à parler, en souriant, il explique que seules les familles disposant d'une concession perpétuelle antérieure à 1895 peuvent encore se faire incinérer et enterrer ici. C'est évidemment le cas de la branche respectable du clan Abercrombie, qui se piquait d'être à la mode ; ces aristocrates n'ont pourtant jamais dû songer sérieusement à se faire inhumer ailleurs que sur leurs terres écossaises, et la concession est restée vide : elle serait parfaite pour Abigail, si cette tête de mule n'avait pas exprimé son refus formel d'y reposer.

Abigail Abercrombie a souhaité se faire incinérer, et les quatre porteurs du petit cercueil, suivis d'un cortège de deux personnes, montent vers une sorte de mausolée égyptien néo-classique en ciment armé, qui abrite le crématorium et des centaine d'urnes ; le bâtiment aspire au statut de pyramide tronquée, mais, à demi enfoncé dans le sol, il rappelle plutôt les blockhaus allemands de la côte atlantique. On descend dans une sorte de crypte ; Richard Abercrombie et Virginie Latour s'assoient devant la porte ouverte du four crématoire, pendant que les employés s'affairent. Virginie Latour se dit qu'il serait temps qu'elle présente ses condoléances. Ses condoléances ont le mérite de faire rire son voisin, sans que cette bizarrerie fasse broncher les employés, qui en ont vu d'autres. Virginie

Latour est fort vexée, parce qu'elle croit s'être mal exprimée en anglais. Les employés referment la porte du four, par laquelle on distingue vaguement le petit cercueil de bois blanc. Richard Abercrombie est invité à allumer ce semblant de bûcher. Puis il vient se rasseoir. Il demande à sa voisine si elle s'y connaît en crémation. Elle dit que non. Il y en a pour deux heures ; il est désolé de l'avoir vexée. Mais aussi, si Virginie Latour avait connu sa mère, elle n'aurait pas présenté de condoléances. Abigail Abercrombie n'est pas de ces êtres qu'on peut regretter. Et d'ailleurs, si Virginie Latour l'avait rencontrée, elle ne serait certainement pas venue à son enterrement. Le mieux, pour faire passer le temps et la remercier de s'être déplacée, c'est que Richard Abercrombie lui parle un peu de sa mère, si cela l'intéresse. Cela l'intéresse.

Dans leur pays les Abercrombie sont bien plus qu'une famille : un nom. Le clan Abercrombie a fait l'histoire de l'Écosse et la gloire de l'Empire britannique, en lui fournissant régulièrement des généraux héroïques, des savants désintéressés, des archevêques sublimes et des femmes d'exception. Richard Abercrombie, jusqu'en 1889, semblait bien parti pour s'illustrer dans la catégorie des savants admirables. Ensuite, tout s'est délité autour de lui ; mais ce sont ses dernières années qui en font la honte de la famille. Il ne s'est jamais marié, n'a jamais eu d'enfant ; il meurt en 1917, à l'âge de soixante-quinze ans ; mais il a adopté, en 1912, au grand dam aussi des domestiques entrés tard à son service et flairant l'héritage-pour-cause-de-dévouement, une petite fille de six ans, une orpheline dont on ne connaît même pas les parents, et qu'il élève sous le nom d'Abigail, et à qui il va jusqu'à donner son nom. La famille pendant un moment s'est raccrochée à l'espoir de la bâtardise, mais c'est encore pis : il n'y a pas une goutte de sang Abercrombie dans les veines d'Abigail Abercrombie.

L'adoption de cette roturière défraie la petite chronique mondaine de Londres ; on en parle dans les couloirs de la Chambre des lords, où siège le frère cadet de Richard Abercrombie. Mais le renégat, qui dédaigne même de se brouiller avec sa famille, tient bon ; il a au demeurant fort bien anticipé l'attaque de son propre sang, en consultant les meilleurs avocats du barreau de Londres. Abigail Abercrombie ne pourra être déshéritée. À la mort de Richard Abercrombie, un domestique soudoyé par le frère du défunt brûle discrètement deux testaments avant l'arrivée du médecin légiste. Cependant la joie du clan est de courte durée. Un notaire établi à Dublin se manifeste dès qu'il a appris la nouvelle de la mort de son client par le *Times* ; il possède un testament, de même que plusieurs de ses confrères, à Dundee, à Liverpool, à Lincoln. Toutes ces copies autographes répètent la même chose. La volonté de Richard Abercrombie est simple, claire, légalement inattaquable : Abigail Abercrombie hérite à l'âge de onze ans, sous la curatelle de la vieille servante incorruptible du maître. Le clan Abercrombie annonce qu'il fera procès, pour la forme, pour sauver la face et gagner du temps, mais il se garde bien de le faire, afin de ne pas entretenir le scandale. Le clan Abercrombie attend, pour voir. Il laisse passer les années.

Lorsque Abigail approche de sa majorité, ses mœurs dissolues confortent ces aristocrates dans la sotte infatuation de leur sang. Abigail Abercrombie n'est pas seulement une roturière ; elle est également d'une intelligence au-dessous du médiocre, et elle se révèle de plus d'une vulgarité presque remarquable si l'on songe à l'excellente éducation qu'on a tenté de lui administrer afin de contrebattre les feux d'un sang trivial. Et maintenant la famille comprend qu'il ne s'agit même plus d'effacer la tache que constitue cette adoption contre nature, mais de veiller, à n'importe quel prix, à ce que cette tache ne s'étende pas. Dieu merci, la créature pousse fort loin sa bassesse, comme tous les gens de rien : elle s'intéresse à l'argent.

Très vite, en 1934, c'est la jeune Abigail Abercrombie qui contacte cette famille qu'elle n'a jamais vue, et qui la menace de rouler le nom qu'elle porte dans des fanges dont les Abercrombie ignorent même encore l'existence ; le clan se convertit à la négociation d'autant plus énergiquement qu'Abigail s'est acoquinée avec un garçon d'écurie qu'elle installe dans la demeure héritée de son père d'adoption, dans le quartier chic de Kensington. Alors commencent des paiements incessants : le clan paie pour qu'Abigail voyage sur le continent, à la condition expresse qu'elle y emmène le garçon d'écurie, loin de Londres et de ses échotiers ; le clan paie le valet d'écurie quand il plaque sa maîtresse et menace de se répandre dans les journaux, à propos de la turpitude des riches ; le clan paie le remplaçant de ce valet, un ancien marin sans emploi déterminé, ivrogne au dernier degré dont elle s'est entichée, afin qu'il jugule ses débordements. Il faut presque vingt ans à ces aristocrates, aveuglés par leur morale d'un autre temps, pour prendre conscience de leur naïveté : jamais Abigail ne renoncera au nom qu'elle porte.

Ils en sont là lorsqu'un événement imprévu les désespère : à l'âge de trente-neuf ans, Abigail Abercrombie est enceinte. Elle a pourtant fini par se croire stérile ; et elle s'en est toujours réjouie, toute à la joie de pouvoir subir les assauts de ses amants sans la moindre inquiétude. Les médecins lui conseillent à mots couverts l'avortement : la future mère a quarante ans, une santé chancelante, un passé houleux. On lui promet un enfant imbécile et vicieux ; il naît en 1946, d'un père inconnu. Et contre toute attente Abigail Abercrombie s'assagit. Elle tourne vaguement à la religion, elle fait tourner les tables et lit dans les cartes le destin brillant de son fils ; elle se retire dans l'hôtel particulier de Kensington. Richard Abercrombie est élevé selon les principes les plus stricts, par sa mère sourcilleuse qui ne lui cache pas son passé chaotique, et par une armée de précepteurs grassement payés.

Un des responsables de la crémation s'avance pour annoncer que l'opération est terminée. Richard Abercrombie laisse une adresse pour la livraison des cendres, qu'on ne peut évidemment guère récupérer aussitôt, car les cadavres ont la vie dure : il faut laisser refroidir les restes ; mais aussi, souvent, les repasser au four, après les avoir concassés, car certains résistent bien ; on finit tout de même par les réduire en une poudre qui correspond à l'idée que chacun se fait des cendres d'un défunt. Seuls et légers, Virginie et Richard reviennent dans la clairière ; ils contemplent un long moment la ville, sans prononcer un mot ; puis ils redescendent vers Londres, par l'allée centrale du cimetière, maintenant écrasée de soleil.

Richard Abercrombie bavarde en souriant, à l'ombre du porche pseudo-médiéval. Il fait partie de ces hommes qui parlent sans attendre véritablement de réponses. Depuis qu'il l'a rencontrée, il s'est mis en tête de coucher avec cette petite Française qui n'est pas bien jolie, mais qui l'excite assez. Ce sera la première maîtresse de sa liberté nouvelle. Richard Abercrombie vient, à cinquante-neuf ans, de se débarrasser enfin de la femme qu'il a épousée à trente, et qu'il a trompée dès le commencement. Pendant presque trente ans elle sera restée là, à se lamenter, à se plaindre de son égoïsme vertigineux, mais sans jamais partir, sans jamais rien faire, dans des souffrances affreuses mais préférables, pour elle, à une solitude même transitoire, car il faudrait alors s'accepter, vivre sa vie, aimer et travailler. Mais cette fois-ci elle est partie, et pour de bon. Richard Abercrombie sourit. Virginie Latour le trouve charmant. Elle se demande si elle est amoureuse. Elle regrette de se l'être demandé si tôt, car maintenant il est trop tard pour laisser venir les choses. Elle se dit tout de même qu'elle l'est ; c'est faux, mais c'est agréable. Richard Abercrombie l'invite à dîner chez lui, pour le soir même, sans même feindre d'avoir l'air réellement de croire qu'il veut essentiellement l'inviter à dîner. Et elle accepte en sachant qu'il sait qu'elle sait. Ils descendent la rue étroite et encore ombragée qui coupe en deux le cimetière de Highgate ; elle appelle un taxi. Il rentre à pied chez lui, faire le ménage, des courses, la sieste.

Rentrée à son hôtel, Virginie Latour consulte son plan de Londres, et constate que Richard Abercrombie habite à deux pas de la lande de Hamsptead. Elle y voit un signe, parce qu'elle aime bien voir des signes quand elle aime croire qu'elle est amoureuse, même seulement un peu. Elle se prépare tout l'après-midi, en rêvant, en lézardant. Elle a quitté l'hôtel depuis vingt-cinq minutes quand un coursier dépose à la réception une grosse enveloppe rouge et bleu, qui contient un manuscrit d'une dizaine de feuilles format raisin, pliées en deux, numérotées en chiffres arabes dans le coin supérieur droit, couvert d'une grosse écriture, un peu enfantine. Vers dix-huit heures Virginie Latour descend d'un taxi au 22, Willow Street, lavée, épilée, excitée, parfumée et soigneusement habillée. Une plaque indique au visiteur que Richard Abercrombie est psychanalyste. La maison, de l'extérieur, ne ressemble à rien : de la brique sur trois étages, un toit plat, et ces triples fenêtres en saillie qui sont d'uniforme à Londres. L'intérieur, lui, est impressionnant. Plusieurs magazines de décoration ont déjà effectué des reportages sur le salon, sur la bibliothèque, sur le cabinet du docteur Abercrombie. Le docteur Abercrombie accepte volontiers la presse ; on lui envoie généralement une journaliste à permanente compliquée, qui parle haut et fort, et qui termine au troisième étage, à genoux sur un tapis afghan de toute beauté, dans la chambre à coucher qui est le clou de la visite, à cause d'un ensemble de meubles de nuit victoriens en parfait état, et de la vue sur le parc.

Richard Abercrombie d'ordinaire reçoit des clients, de huit heures à vingt heures, six jours par semaine. Pour l'enterrement, il a pris deux jours de congé ; les premiers depuis cinq ans, si l'on excepte les dimanches, où il brocante et chine inlassablement. À part son travail, Richard Abercrombie ne fait jamais rien, sinon l'amour. Cette oisiveté inhabituelle de quelques heures l'a plongé dans une sorte d'ivresse. Quand Virginie Latour sonne il oublie même de lui faire visiter sa belle maison. Ils se sont embrassés tout de suite, dans le vestibule. Ils sont maintenant au salon, elle est allongée sur un canapé, dans la pénombre. Il s'est agenouillé devant elle. Il la caresse avec ses doigts, avec sa bouche, mais ce sont ses doigts qui la laissent ébahie : il la branle exactement comme elle le fait elle-même, d'ordinaire. Elle n'est pas encore revenue de sa surprise que la jouissance la prend inopinément. Elle sent l'humidité sous ses fesses et rougit dans la demi-pénombre. Richard Abercrombie ne semble pas se formaliser de cette inondation ; il s'essuie calmement les doigts dans un coussin ; de toute façon il voulait changer de canapé. Ils font une pause, ils grignotent et ils boivent. Elle s'excuse pour le canapé. Il se retient de lui dire qu'ils en ont vu d'autres, ce canapé et lui. Il va cuisiner un peu, après l'avoir installée devant un ordinateur, sur Internet : effectivement son mode de jouissance est assez rare, mais porte tout de même un nom ; on trouve même des cassettes vidéo à ce sujet. Sans oser le dire, Virginie Latour est un peu déçue ; elle est très fière au fond de ses jouissances océaniques, et cet homme si gentil ne semble pas même les admirer ; elle le rejoint dans la cuisine et le coince contre l'évier, décidée à se venger ; son sperme est plutôt salé que sucré.

Le lendemain ressemble à leur soirée ; ils restent couchés et se caressent, ils jouent et jouissent et s'endorment sans bruit. Dehors le temps a viré ; des averses balaient Willow Street, d'est en ouest. Richard est allé chercher l'urne ; vers les cinq heures du soir, ils vont se promener, malgré la fraîcheur, pour délasser leurs corps endoloris ; ils poussent jusqu'au bout de la rue, sur la lande de Hampstead, ils se contentent de gravir la petite colline qui borne le parc au sud, et qui surplombe un étang étroit et long, aux eaux noires. Il se met de nouveau à pleuvoir légèrement. Richard sort de sa poche un petit récipient métallique circulaire, qui ressemble à une boîte de café italien, et cherche un endroit tranquille ; dans un creux à l'écart du chemin, il ouvre la boîte, en verse délicatement le contenu sur l'herbe : les restes d'Abigail Abercrombie se tassent sous les coups répétés des gouttes d'eau ; bientôt ils ne forment plus qu'un monticule noirâtre, qui s'amenuise et disparaît dans la grisaille du sol. Elle a expressément signifié à son fils, deux jours avant sa mort, qu'elle ne voulait pas que ses restes habitent un clapier à urnes ; qu'il se débrouille. Richard Abercrombie se débrouille et, à sa grande surprise, il se sent envahi par une grande tristesse ; les larmes lui montent aux yeux, puis il repense à son enfance, et son émotion reflue immédiatement. Richard et Virginie redescendent, blottis sous le même parapluie. Il jette la boîte vide dans une poubelle municipale.

Ils retournent au 22, Willow Street. Richard entre, traverse le salon, et extrait d'un tiroir de sa bibliothèque une boîte métallique. Il en sort un gros livre, qui ressemble à un très vieil album photographique. Richard le feuillette un peu, trouve la page qu'il cherchait et le pose ouvert sur les genoux de Virginie. Sur la page cartonnée, à droite, on a collé une photographie noir et blanc, en utilisant de petits coins adhésifs en papier cristal. Formellement elle ressemble à tous les clichés du dix-neuvième siècle ; le fond est flou ; seule l'image d'une femme, cadrée au-dessus du genou, se détache. Cette femme regarde l'objectif ; elle est entièrement nue, d'autant plus nue qu'elle ne porte aucun bijou, et que ses cheveux et ses poils sont rasés. Le cliché est d'une clarté, d'une précision exceptionnelles ; on distingue de fraîches petites coupures, là où le rasoir a hésité, près des zones délicates où la peau devient une muqueuse. Aux yeux, aux seins haut perchés, on croit pouvoir reconnaître une Japonaise ; sa main droite écarte les plis de son sexe, comme pour en exposer du mieux possible les détails. Virginie est frappée de la présence étonnante du modèle, de son évidence tranquille. Et, assez curieusement, presque mystérieusement, la photographie ne lui paraît ni vulgaire ni obscène. Elle en fait la remarque à Richard, qui s'est assis à sa droite, et Richard en convient. Mais très excitante par ailleurs, dit Virginie Latour, incontestablement, très excitante. Et Richard Abercrombie Jr en convient. Virginie pose le protocole Abercrombie sur une table basse et ouvre la braguette de son voisin, pendant qu'une main défait sa ceinture. De plaisir ils ferment les yeux.

Pendant ce temps une lettre d'Akira Kumo attend Virginie à son hôtel. Pour parler de mon enfance, écrit Akira Kumo à l'adresse de Virginie Latour, on peut commencer quand j'ai six ou sept ans. La fin de la Seconde Guerre mondiale approche, un peu partout. La fin de la Seconde Guerre mondiale se joue entre autres dans la myriade d'îles qui couvre l'océan Pacifique, c'est ce qu'on appelle justement la bataille du Pacifique, les fins de guerre sont encore pires, on se dit que ça n'en finira jamais, on se dit que chaque jour passé aurait pu être le premier de la paix. La bataille du Pacifique est l'une de ces batailles terribles qui finiront toujours trop tard, même pour les vainqueurs. Les pertes humaines sont considérables. C'est qu'il faut que les Américains s'assurent le contrôle de chaque île, et que chaque île est un cauchemar identique au précédent. Il faut débarquer avant l'aube, sur une plage bordée par une jungle trouée par l'aviation et l'artillerie navale toute la nuit durant, et qui pourtant reste là, impénétrable, opaque, obstinée dans une résistance inhumaine ; il faut traverser la plage en courant, vers la jungle d'où des adversaires invisibles en perpétuel mouvement tirent avec soin, une cartouche à la fois, les silhouettes qui se détachent si bien sur le sable. Même si les plages sont courtes, c'est comme en Normandie, sauf que cela se reproduit chaque jour, il y a tout un archipel de petits débarquements de Normandie, quotidiens et terriblement meurtriers, sur toute une poussière de terres dont on n'a rien à faire, en soi, qui souvent ne sont même ni habitées ni habitables, en temps normal, mais que les impératifs de la stratégie ont transformées en possessions précieuses, vitales. Quand la troupe parvient à s'abriter derrière les premiers arbres, il n'y a plus personne : les Japonais ont reflué vers l'intérieur de l'île. Alors on recommence le pilonnage, à l'aveugle ; de la plage tonnent les mortiers, pendant que des obus venus de la mer sifflent et explosent, loin devant ; les États-Unis d'Amérique avancent, c'est même leur caractéristique la plus fondamentale, ils avancent, ils finissent toujours par y arriver, les Américains tombent comme de petits insectes noirs, un peu partout, en Allemagne et ici, mais les États-Unis d'Amérique avancent toujours.

C'est une guerre inédite dans l'histoire du monde, les Américains contre les Japonais, même à Pearl Harbour ils ne s'étaient pas vus d'aussi près. À y réfléchir il y a quelque chose de fou dans cet affrontement de pays non voisins, quelque chose de dénaturé. Mais cette fin de guerre ne ressemble pas aux autres. Par exemple, en apparence, les Japonais se sont repliés comme l'aurait fait n'importe quelle armée, dans n'importe quel conflit, en cas d'infériorité quantitative et qualitative. Mais les Japonais ne se replient pas, ou ne se replient plus, dans l'idée de se rassembler, de regrouper leurs forces pour lancer une contre-attaque ; ils ne se replient pas non plus pour sauver leur peau. Ils ont perdu de vue, depuis longtemps, l'idée même d'une finalité de cette lutte. Les Japonais savent depuis le début qu'ils vont perdre ; qu'ils ont perdu. Alors ils se replient pour perdre le plus longtemps possible, un peu plus loin, pour attirer dans la mort un peu plus de ces soldats bien nourris, venus de si loin, ils veulent que le nombre des victimes soit tel que les vainqueurs eux-mêmes, après la bataille, se sentiront vaincus, détruits, eux aussi.

Les Japonais du Pacifique ne cherchent pas à sauver leur vie ; ils pensent que leur pays va disparaître : qui voudrait survivre à cela ? Et si l'on ne peut plus empêcher leur victoire, c'est quelque chose à faire encore, de priver l'adversaire de ses vaincus. Car de toutes les civilisations, celle des États-Unis d'Amérique a ceci de particulier qu'elle a besoin de ses vaincus. Elle a besoin de ces Japonais désespérés, elle a besoin d'Allemands et d'Italiens pouilleux et martyrisés, elle a besoin de Français et de Belges honteux, elle a besoin d'eux comme un fils aimant et dément rêve que ses parents soient gâteux, afin de pouvoir les nourrir, de les aider à reconstruire, de leur prêter de l'argent, de leur vendre, de leur acheter. Au même moment tout se passe très bien, à cet égard, dans la vieille Europe ; les affaires reprennent. Et bientôt, dans les grandes îles qui forment le Japon, tout se passera bien pour les autorités d'occupation. Mais ici, pour l'instant, dans la guerre du Pacifique, l'horreur n'en finit pas, la mort s'obstine. Des blessés japonais ont calé une grenade dégoupillée sous leur corps, pour qu'elle explose quand les soldats américains viendront les fouiller. L'état-major américain donne des instructions pour qu'on ne touche plus aucun corps ennemi. Sur le terrain on s'habitue vite et du plus loin possible on achève tous les blessés. Pour des raisons analogues, on s'accoutume à abattre tous ceux qui se rendent. Dans les rares îles abritant encore une population civile, des femmes japonaises sautent du haut de petites falaises, leurs enfants dans les bras, et s'écrasent sans un cri, dans un bruit de guenille mouillée, sourd, intolérable, qu'aucun témoin n'oubliera jamais.

Cependant l'armée des États-Unis d'Amérique, partout et toujours, dans chaque poussière d'archipel, finit bien par cerner les derniers résistants : parfois c'est contre un flanc de montagne arboré, parfois dans une vallée que les cartes n'ont pas signalée. Mais ils butent encore sur un dernier obstacle : les Japonais, prévoyants, ont aménagé des abris. Ils sont très difficiles à prendre car les abords sont minés, parce que tous les tunnels qui y mènent sont coudés, et que chaque chicane se paie cher. Dans le meilleur des cas, l'unité combattante dispose d'un spécialiste équipé d'un lance-flammes. On ne peut laisser ce spécialiste approcher d'une position que lorsqu'elle est sécurisée, et cela peut prendre des jours. Il est hors de question de risquer la vie de ce spécialiste : certes le maniement du lance-flammes lui-même n'est guère compliqué, et un débutant attentif peut savoir s'en servir au bout d'une heure. Mais les hommes sont rares, qui sont capables d'approcher de ceux qu'ils vont tuer à moins de cinq mètres, qui sont capables de voir leurs visages et leur effroi et d'appuyer néanmoins sur la poignée qui libère cette chaleur infernale. De tels hommes sont précieux, et dans la guerre du Pacifique toutes les unités en réclament un.

À la fin du mois de juillet 1945, l'état-major américain fait ses calculs : mille deux cents soldats américains meurent chaque jour dans les îlots du Pacifique. C'est nettement plus que prévu. C'est au-delà du supportable pour l'opinion publique américaine. D'autant que le front européen, lui, est à peu près pacifié. Le taux de blessés est plus préoccupant encore, militairement parlant : il n'a jamais été aussi élevé dans une opération de ce type pour l'armée américaine ; or ce sont les blessés, et non les morts, qui terrifient un état-major. Car les blessés sont terriblement plus encombrants. Un mort mobilise deux individus vivants, pour une heure ou deux, qu'on l'enterre ou qu'on le transporte à l'arrière. Un blessé immobilise, directement ou indirectement, cinq soldats, qui plus est pour une durée indéterminée, et pour un résultat incertain. À la fin du mois de juillet 1945, toutes les autorités américaines concernées se sont rangées à la même opinion : la guerre du Pacifique doit cesser maintenant.

À des milliers de kilomètres du Japon, sur une base militaire du Nouveau-Mexique, l'armée américaine, elle, est prête : elle met la dernière main au projet Manhattan. Le projet Manhattan ne date pas d'hier : depuis des années il réunit les meilleurs scientifiques de son temps, non seulement des États-Unis, mais aussi de toute l'Europe : beaucoup de physiciens juifs sont là, engagés dans un projet de recherche qui doit permettre, leur dit-on, la mise hors d'état de nuire, de l'autre côté de l'Atlantique, du dictateur qui les a chassés de leur patrie, qui a emprisonné leurs amis, qui a tué leur famille. Les scientifiques juifs et les autres travaillent avec ardeur. Ils travaillent même encore plus vite quand l'armée se met à leur parler des missiles V1 et V2, qu'Hitler serait sur le point de lancer, qui serait peut-être l'arme ultime. Finalement ce sont eux, qui sont du bon côté, qui inventent cette arme ultime ; en 1944 elle est opérationnelle ; personne n'a jamais été aussi vite sur une invention aussi étonnante, aussi puissante. L'état-major américain remercie toute l'équipe, et se met à étudier les possibilités de largage sur l'Union des républiques socialistes soviétiques. À aucun moment l'état-major n'a sérieusement pensé à l'utiliser en Allemagne. Les scientifiques, juifs et non juifs, sont extrêmement déçus. Ils n'ont encore pas compris.

En juillet 1945, il y a longtemps que la bombe d'un nouveau type est prête. Même les cibles sont choisies depuis bien longtemps. La décision a obéi à toutes les formes requises par une démocratie moderne. Dans un premier temps un comité consultatif mêlant des politiques et des militaires a sélectionné diverses villes, celles de Kyoto, de Nagasaki et de Niigata, celles de Kokura et d'Hiroshima. À propos de Kyoto un expert civil a protesté, à cause des monuments historiques ; on écarte Kyoto. Les quatre autres villes ont été portées sur une liste transmise à l'armée de l'air ; le choix final interviendra le plus tard possible, selon des critères logistiques. Au dernier moment les équipes techniques chargées de l'évaluation des effets de la première bombe atomique sur un site urbain réel présentent à l'état-major de l'armée de l'air une requête spéciale : souhaitant pouvoir mesurer le mieux possible les dégâts, elles expriment le désir que les cibles soient des villes intactes, qu'aucun bombardement classique n'a endommagé. Aussi pendant quelques mois, jusqu'au début d'août 1945, les populations des villes de Kokura et de Niigata, celles de Nagasaki et d'Hiroshima s'estiment chanceuses, puisque aucun bombardier américain ne vient les survoler. Les équipes techniques chargées de l'évaluation émettent par la même occasion un souhait : elles préféreraient des villes situées dans des cuvettes, de façon que le souffle de l'explosion soit plus visible, plus facile à modéliser, à étudier. L'état-major de l'armée de l'air ne voit aucune objection.

Vous êtes-vous jamais demandé, écrit Akira Kumo à Virginie Latour, pourquoi il y a eu deux bombes atomiques lancées sur le Japon, en 1945 ? Pourquoi Hiroshima, et puis Nagasaki ? Pourquoi une bombe le 6 août, et une seconde le 9 ? Pourquoi pas seulement une ? C'est une question que personne ne pose, sauf les enfants, quand on leur explique pour la première fois ce que furent ces bombardements, et ce sont les enfants qui ont raison. Mais on ne leur répond pas, généralement par ignorance, parce qu'il faut vraiment creuser longtemps pour trouver la réponse à cette question : les États-Unis d'Amérique avaient inventé deux types de bombes atomiques, et il leur fallait donc deux sites pour les tester.

Le 6 août 1945, vers sept heures du matin, un avion américain de reconnaissance survole les villes de Kokura, de Niigata et d'Hiroshima. Des deux premières villes on ne peut ni l'apercevoir ni l'entendre, parce que le plafond nuageux est fort bas ; le petit avion n'effraie donc personne ; lorsqu'il survole Hiroshima à sept heures et quart du matin, le ciel est dégagé, le vent nul, tous les habitants qui sont déjà levés peuvent le voir, mais ils ne s'inquiètent pas davantage : ce n'est pas un bombardier. De plus, c'est la troisième fois en trois jours que cet avion léger vient et repart ; il n'a jamais été suivi d'une cohorte de bombardiers lourds, comme certains militaires le craignaient. Les civils qui sont assez matinaux pour le voir passer dans le ciel d'Hiroshima pensent à leurs frères qui n'ont pas leur chance, là-bas, à l'est, sur le front du Pacifique. Ils pensent à tous ceux qu'ils ont perdus dans cette guerre. Ils ont appris à ne plus croire les communiqués triomphants de la radio officielle. Le petit avion repart très vite, dans un bourdonnement d'abeille ; la vie continue, le soleil a déjà dissipé les brumes matinales, la ville entière s'éveille. Depuis trois jours, cet appareil de reconnaissance météorologique d'un beau gris-bleu cherchait une ville sans nuages. Il vient d'en trouver une. Il transmet instantanément les informations nécessaires à son poste de commandement, puis il rentre à sa base, le plus rapidement possible.

Une heure après, un second avion vient survoler Hiroshima. Celui-ci est un bombardier. Il vole à très haute altitude ; on l'entend sans le voir. Des civils lèvent les yeux mais le ciel est vide. Des militaires s'étonnent : de tels avions ne se déplacent jamais seuls. Pendant de longues minutes, les plus inquiets d'entre eux retiennent leur souffle, guettant un bombardement, ou le vrombissement de toute une escadre. Mais rien ne vient ; ce doit être un pilote égaré, dont la radio est en panne, et que le petit avion cherchait, probablement. La sécurité civile décide de ne pas sonner l'alerte. Et soudain le bruit n'est plus là, comme si l'avion avait disparu, d'un coup. C'est que le bombardier vient de virer violemment sur son aile, et que le vent des hauteurs désormais emporte vers la mer le bruit de ses hélices. Sa mission est terminée : il vient de larguer une seule bombe, d'un poids de quatre tonnes. Elle n'est pas conçue pour toucher le sol : plusieurs parachutes presque rigides se déploient pour la ralentir, car on a calculé qu'il convient, pour une efficacité optimale, qu'elle explose six cents mètres au-dessus de sa cible. Juste après que le bombardier de type B52 a largué sa charge, il y a sûrement un instant étrange pour ceux, s'il y en a, qui ont repéré ce petit point brillant qui descend lentement vers la ville, un de ces instants qui paraissent s'étirer jusqu'à durer, il y a un moment unique où ces quelques hommes et ces quelques femmes-là, s'ils ont existé, se trouvent dans une situation que l'homme n'a plus connue depuis des siècles ; un moment comme les Indiens d'Amérique ont pu en vivre, en regardant le canon des fusils que de magnifiques centaures braquaient sur eux ; un moment comme en vivent les animaux chassés qui n'ont pas appris à connaître l'homme. C'est un instant unique dans un siècle de fer et de feu, dans le silence d'un ciel sans nuages, qui semble avoir absorbé le temps et l'espace, à l'exception de ce point brillant dans le ciel, qui descend. Ensuite cet instant disparaît dans l'oubli absolu, parce que la bombe atomique explose, exactement à la hauteur prévue par l'état-major.

Quand il en arrive à ce point de sa lettre, Akira Kumo constate avec effarement qu'il fait presque nuit ; sa main droite le fait souffrir terriblement. Il termine en écrivant qu'une autre lettre suivra, et, quand il signe de ses initiales, il est lui-même persuadé qu'il reprendra demain, en parlant enfin directement de sa vie là-bas. Le lendemain matin il attend vaguement que Virginie appelle. Durant toute la matinée du dimanche, il s'assoit de nouveau dans le petit cabinet de lecture attenant à la bibliothèque, où il a écrit sa première lettre. Mais il ne lui vient rien. Il y retourne le soir ; il se lève au bout de quelques minutes, il ouvre la porte-fenêtre qui donne sur un petit balcon, au-dessus de la rue Lamarck, et il saute.

Pourquoi faut-il que tout soit toujours de plus en plus triste ? Virginie Latour passe à son hôtel le dimanche soir vers dix-sept heures ; on lui remet une enveloppe rouge et bleu, mais elle ne l'ouvre pas. Elle contacte une entreprise internationale de portage à domicile. Ensuite elle emballe le protocole Abercrombie avec toutes les précautions possibles, et l'adresse à la rue Lamarck. Elle descend à la réception, et vingt minutes plus tard le porteur est là, parce qu'elle y a mis le prix. Elle se demande ce qu'Akira Kumo peut bien faire, à cette heure-là.

Il n'est pas si facile de sauter dans le vide. Akira Kumo vient d'en faire l'expérience, car au dernier moment son pied a accroché un rebord de pierre, et il a basculé face en avant. Son épaule a heurté le balcon de l'étage inférieur, ce qui a nettement ralenti sa chute. Dix mètres plus bas son corps a rebondi sur le toit d'une camionnette de livraison dont la tôle, d'une médiocre qualité, a sensiblement amorti l'impact. Son corps a alors roulé sur le pare-brise du break, et Akira Kumo s'est affalé sur la chaussée. Sa colonne vertébrale est en deux endroits fêlée. Il a pensé que peut-être son cerveau, en s'écrasant sur le pavé, formerait un beau dessin de nuage ; mais cet espoir aussi est déçu. Il a perdu connaissance une fois au sol, mais dans l'ambulance qui l'emmène il n'est pas encore mort. Il ne meurt pas le soir, au moment où Virginie pensait à lui, le lendemain non plus, ni les jours qui suivent. Il ne meurt pas. Pas encore.

Virginie Latour remonte dans sa chambre, elle ouvre l'enveloppe rouge et bleu ; c'est une lettre d'Akira Kumo. Elle en sourit de plaisir. Elle est occupée à la lire quand l'entourage pense enfin à la prévenir. Elle prend un taxi pour la gare de Waterloo. On est dimanche, les trains sont complets jusqu'au lendemain, en fin d'après-midi. Dans son salon Richard Abercrombie, deuxième du nom et du prénom, est très content de lui. Il ne savait pas quoi faire du Protocole, il a toujours pensé qu'il en ferait don, sans trouver à quelle institution pareil document conviendrait. À Virginie il a raconté, en le lui offrant, tout ce qu'il savait de la naissance du Protocole grand-paternel.

En 1889, explique Richard Abercrombie à sa maîtresse Virginie, pour l'anniversaire de la Révolution française, Paris obtient que lui soit confiée l'organisation d'une exposition universelle. Cent années auparavant, ce petit pays qui s'appelle la France a fait trembler l'Europe couronnée. Le centre du monde historique a été là, pendant de longues années. Puis, tout simplement, le centre du monde historique s'est déplacé, et le petit pays s'est enfoncé dans l'oubli, beau comme une médaille, inutile comme un bijou vieilli. En 1889 le siècle des Lumières brille encore mais c'est un astre mort. Pour le centenaire de sa Révolution, la France et sa capitale vont tenter, une dernière fois, de faire les choses en grand. Mais, pour la première fois de son histoire, la ville de Paris devient ce qu'elle ne va plus cesser d'être : le parc d'attractions de tous les badauds à bedaine du monde industrialisé. Et ils vont venir par milliers, bientôt avec leur propre appareil de prises de vue photographiques, bientôt, même, avec leur propre caméra, et ils vont tellement regarder cette ville, ils vont tellement la photographier, qu'ils vont en user des quartiers entiers, des quartiers qui ne vont plus être regardables tellement tous ces aveugles les auront usés, au point qu'on devra s'étonner qu'il reste encore quelque chose de cette ville à voir, qu'elle soit encore visible, et belle, malgré tout.

En 1889, pourtant, les Parisiens croient encore à l'existence de Paris, et les Français croient encore à la France une et indivisible. Alors les organisateurs de l'Exposition universelle du centenaire de la Révolution française s'agitent à longueur de jour. Ils s'affairent. Ils rédigent des motions, ils parlent des Lumières et des miracles de la vaccination. Ils lancent des invitations et créent des sous-commissions. Ils évoquent les Progrès de la Civilisation, et ses divers flambeaux. Les organisateurs votent radical ; ils se réjouissent à l'idée que les ténèbres suscitées par les calotins ne cessent de reculer, dans le monde entier ; et bientôt même il n'y aura plus de prêtres, et partant plus de discordes ou de guerres. Les plus chanceux de ces rêveurs mourront avant l'été 1914. Pendant ce temps, les boutiquiers se frottent les mains : la transformation de la capitale en foire mondiale enthousiasme les cafetiers et les restaurateurs. Les marchands d'élégance, qui ne font pas de politique, préparent des stocks. Bientôt Alice Cadolle, à deux pas de la maison Chanel, rue Cambon, inventera le soutien-gorge. Bientôt le porte-jarretelles, obscurément inspiré, disent les plaisantins, par l'étage inférieur de la tour de Gustave Eiffel, supplantera le corset. Bientôt toutes les femmes pourront, si elles le désirent, s'habiller pour sortir en moins d'une heure, sans même se faire aider de leur bonne. Sous la tour d'acier boulonné provisoirement érigée sur le Champ-de-Mars, et contre laquelle des écrivains désœuvrés et quelques ratés pétitionnent, on a placé la Fontaine du Progrès, chef-d'œuvre de l'art industriel, qui crache éternellement la même écume, grâce à un moteur ingénieusement dissimulé sous son bassin. Les passants admirent cette prouesse technique, et se taisent un instant, lorsque les guides leur expliquent l'allégorie, et les avertissent que l'eau n'est pas potable.

En 1889, la France se prend pour un empire et bruit comme un bazar. Jules Ferry a imposé l'instruction obligatoire ; il a également écrasé des paysans, très loin de Paris, dans des rizières, qui sont si différents de nos paysans que personne, ou presque, ne s'offusque. Il y a déjà beaucoup de touristes américains à Paris, c'est la première fois qu'ils viennent en masse, sans nostalgie d'esthète, sans culture aucune, c'est la première fois qu'ils traversent en masse, sans véritablement les voir, les jardins du Louvre qu'on a bien nettoyés et qui brillent sous le soleil, comme des jouets vernis, amusants, désuets, insensés. Ces touristes heureusement ne sont pas tout à fait dépaysés quand vient l'Exposition elle-même : le clou des attractions parisiennes est, au mois de mai, le spectacle équestre que Buffalo Bill consacre à l'Ouest sauvage. Cette Exposition-là se veut vraiment universelle, sans exclusion de nations ou de races : un pavillon montre que désormais les Algériens savent cultiver la vigne et produire ce vin qu'ils ne boivent pas. Un peu plus loin, à l'ombre de la tour, on a mis des Nègres dans un enclos. La foule se masse contre les grillages, à heures fixes : les Nègres sont dressés, au quart de chaque heure, à sortir de leur torpeur pour piler le mil et pousser des cris, tandis que les plus doués d'entre eux exécutent une danse de guerre ; et des femmes à ombrelle reculent, quand ils montrent les dents. On a même reconstitué une rue du Caire dans le septième arrondissement de Paris et, partout dans la ville, les bordels les plus courus, anticipant finement la demande, se sont fournis en femelles hottentotes et canaques ; l'Annamite aussi fait fureur, et se vendra cette année-là beaucoup mieux que la Juive. Venus de Hollande pour l'occasion, des représentants de la maison Van Houten, négociants et torréfacteurs de chocolat, proposent gratuitement la visite d'un village indonésien, entièrement reconstitué avec des matériaux d'origine. Enfin, dans tous les amphithéâtres de faculté, dans toutes les salles de conférences de tous les ministères, parfois même sous de simples chapiteaux ou dans des salles obscures, il y a des congrès. Des congrès de l'Union rationaliste et des congrès de sidérurgistes européens. Des congrès de mytiliculture et des congrès de numismatique. Des congrès de chimie organique et des congrès de la Société théosophique. Et c'est donc tout naturellement, sur proposition du directeur de l'observatoire météorologique du parc de Montsouris, avec l'accord de tous les présidents de toutes les sociétés savantes concernées, que se tient à Paris, au mois de septembre de l'an 1889, le Congrès météorologique mondial.

Au-dessus de toutes ces savantes réunions, les nuages passent, comme à l'accoutumée, indifférents au commerce des hommes. Inversement, les exposants et les visiteurs de l'Exposition ne leur jettent aucun regard ou, s'ils lèvent la tête, c'est pour décider si l'on prendra l'apéritif en terrasse, ou bien à l'abri, à l'intérieur du café égyptien ou du pavillon du Brésil. Nous sommes entrés dans l'ère moderne : on ne s'intéresse aux nuages que lorsqu'ils nuisent. Dans la matinée du lundi 20 septembre 1889, vers les neuf heures du matin, une forêt noire pousse brusquement dans tout Paris, d'ouest en est : il s'est mis à pleuvoir et les parapluies fleurissent, et chacun peste, ou presque. Le 20 septembre est le premier jour du Congrès météorologique mondial. La Société météorologique de France a bien fait les choses : le congrès se déroule dans un vaste amphithéâtre de l'hôpital de la Salpêtrière, surmonté d'une verrière toute neuve. Un tel choix révèle une délicate attention de la part de l'administration de l'hôpital. La pluie commence à tambouriner doucement sur la verrière vers neuf heures vingt-cinq du matin, alors que le ministre de l'Agriculture vient de proclamer l'ouverture des travaux. La pluie est accueillie ici en amie, presque en participante. Des congressistes qui ont annoncé ces précipitations baissent modestement les yeux en acceptant les compliments de leurs collègues ; quelques-uns pensent, avec le frisson délicieux des hérétiques, qu'ils n'aiment pas la pluie, mais ils se gardent de le montrer.

Pendant toute la matinée des averses frappent à petits coups feutrés sur la verrière. La météorologie est une science si jeune que le congrès en est à mesurer l'étendue de son ignorance, à dessiner des perspectives de recherches grandioses. Les orateurs se succèdent : ils parlent de leurs hypothèses concernant la formation des cyclones, ils parlent de leurs hypothèses sur la dissipation des brumes de mer, ils parlent d'affiner la mesure de l'humidité de l'air, ils parlent bien et fort et sont tous très applaudis et pourtant, et pourtant, pas un d'entre eux ne pourrait expliquer la pluie qui joue, au-dessus de leur tête, sa partie de basse continue, avec ironie et constance. Aucun de ceux qui sont assis dans l'amphithéâtre ne peut dire pourquoi la pluie tombe. Et le pire est que nul ne soupçonne la complexité de ce phénomène, trop simple et trop massif pour avoir retenu l'attention. On pourrait de fait penser qu'il suffit, pour qu'il pleuve, de fort peu de choses : de l'eau flottant dans l'air en quantité suffisante pour que les particules d'eau s'agrègent, entrent dans un processus de condensation ; et de là, ce que nous appelons un nuage ; ensuite, pour peu que l'humidité atteigne un point de saturation, des gouttes se détachant de cette masse : une pluie. Voilà à peu près ce que les plus avancés des congressistes de Paris diraient, si on les interrogeait à ce sujet.

Les choses ne sont pas aussi simples. Les nuages ne se forment pas si benoîtement que cela, ils dépendent de toute une série de facteurs croisés. Ils dépendent de l'état de l'atmosphère, par exemple. De cet air ambiant qui peut, selon sa température, supporter plus ou moins d'eau : à zéro degré, l'air ne peut guère porter que cinq grammes à peine, par mètre cube ; mais, à la température de vingt degrés, il peut entrer en état de sursaturation et tenir facilement ses dix-sept grammes d'eau par mètre cube. Cependant une quantité d'eau importante dans l'air ne suffit encore pas, ne suffit toujours pas pour former un nuage, pour rendre une pluie possible. Il faut encore que des poussières s'en mêlent, quelles que soient leur origine ou leur nature : sel marin, poussières d'éruption volcanique, gaz d'échappement d'avions ou de voitures, sable du désert projeté en altitude par une tempête brutale. Et il faut de plus que ces poussières patiemment s'allient avec les petites particules électrisées qui se promènent dans l'atmosphère terrestre, et que de cette alliance naisse un noyau de condensation. C'est alors seulement que la pluie devient possible. Mais il ne pleut pas encore, parce que les gouttes d'eau qui composent les nuages n'ont pas grand-chose à voir avec celles qui tombent sous le nom de pluie.

L'eau des nuages se présente sous la forme de gouttelettes minuscules, d'un rayon compris entre un millième et un centième de millimètre ; un centimètre cube de nuage contient aisément un millier, parfois un millier et demi de ces gouttelettes sphériques. Elles ne se mêlent guère les unes aux autres au sein du nuage : de petits filets d'air qu'elles entraînent avec elles, du fait de la lenteur de leur déplacement, ne permettent pas de telles coalescences ; les gouttes restent séparées, impuissantes. Naturellement de si petits objets tombent lentement : ceux qui sortent de l'aire protectrice du nuage disparaissent presque instantanément ;

ailleurs, sur toute la surface du nuage, d'autres gouttes au contraire se forment ; ainsi, pour l'observateur humain, le nuage semble se mouvoir ; au fond il ne fait qu'échanger de l'eau avec son milieu. Parfois pourtant des gouttes s'associent, grâce aux noyaux de condensation, et forment des agrégats de plus en plus gros, de plus en plus lourds, d'un diamètre variant d'un demi à trois millimètres. Et ce sont ces gouttes-là qui tombent, et qui tombant se regroupent jusqu'à composer de lourdes gouttes d'eau, atteignant une taille de six millimètres. Et alors seulement, et si ces gouttes atteignent le sol, on peut dire qu'il pleut.

Le lundi 20 septembre 1889, vers onze heures du matin, il ne pleut plus, de sorte qu'un silence absolument parfait règne lorsque s'avance à la tribune le plus grand météorologue suédois de son temps. Son intervention est attendue comme le clou de la première matinée. William S. Williamsson s'apprête à conférer dans cet anglais correct, mais rugueux, qui agace tant ses confrères français. Le plus grand météorologue suédois de son temps s'est forgé, avec les ans, le physique de son emploi. C'est d'abord une belle tête de savant visionnaire, la barbe ronde, le cheveu long et ondulé, comme tissé de filets argentés. C'est ensuite un torse puissant planté sur des jambes courtes mais larges d'alpiniste chevronné ; le bras, long, est musculeux. Il est difficile de ne pas penser à un grand singe en observant William S. Williamsson gravir les quelques marches qui mènent à la tribune, empoigner le pupitre comme s'il allait l'arracher de l'estrade. Son intervention est l'une des plus attendues du congrès ; c'est aussi la seule qui compte pour son auteur, qui a dormi les yeux ouverts depuis neuf heures et demie du matin, au deuxième rang. Dans le public, quelques connaisseurs venus au congrès sans communication à y présenter, et sans leur femme, désignent à l'attention de leurs voisines qu'ils projettent, un soir prochain, de baiser, un individu qui siège à l'extrémité de la table réservée au secrétariat de la séance, et qui offre un contraste saisissant avec Williamsson. L'individu en question n'offre strictement rien de particulier à la vue ; il est de ces êtres qu'on salue dans la rue en les confondant avec quelqu'un qu'on connaît mal, parce que ne ressemblant à rien ils ressemblent au plus grand nombre. Indifférent aux connaisseurs qui le montrent du doigt, indifférent aux voisines de ces connaisseurs qui, poliment, charitablement, écarquillent les yeux en hochant la tête, et le lorgnent sans discrétion, Richard Abercrombie attend, impassible. C'est un petit homme moustachu, dont les cheveux reculent sur un front large et veineux, et qui n'a l'air de rien. Il ne regarde rien en particulier, et semble écouter avec la plus profonde attention l'orateur chevelu qui maintenant gesticule habilement en débitant des compliments aux organisateurs. Richard Abercrombie pose sur le néant son regard noir, enfoncé sous d'épais sourcils. De larges favoris à reflets roux lui donnent un air anglais. Quoique écossais, il épouse parfaitement tous les contours du stéréotype de l'Anglais, au physique comme au moral. Il n'est venu s'asseoir à la table de séance que pour l'intervention de son éminent collègue et très cher ami Williamsson, qu'il déteste passionnément, systématiquement, avec constance et avec rage, comme seul un savant peut en détester un autre. William S. Williamsson le lui rend bien. Il y a des divergences de vues dont on ne revient pas, et les deux hommes n'ont jamais pu se mettre d'accord sur le sujet principal de leurs recherches : les nuages. Et, bien entendu, n'ayant dans ce domaine aucun égal, poursuivant les mêmes chimères, séparés par plusieurs mers et des tempéraments opposés, réunis par la même ambition, Richard Abercrombie et William S. Williamsson travaillent ensemble depuis dix ans, et passent pour les meilleurs amis du monde.

Depuis la veille pourtant les congressistes véhiculent une rumeur obstinée, que certains, qui sont souvent les plus méchants, c'est-à-dire les mieux renseignés, expliquent aux moins bien renseignés, en leur faisant promettre de n'en rien répéter. Il se murmure que le présent congrès de Paris, qui aurait pu être l'heure du triomphe commun d'Abercrombie et de Williamsson, va sonner officiellement le glas de leur légendaire amitié. Huit ans de rivalité féconde ont fait d'eux les auteurs de contributions décisives dans les domaines les plus délicats, comme ceux de la classification des nuages, de la prévision des tempêtes de haute mer, de l'intelligence d'un phénomène complexe comme le brouillard. L'Écossais et le Suédois, le premier patiemment et méthodiquement, le second avec une fougue impérieuse, ont ensemble conçu, rédigé et publié, deux ans avant le congrès de Paris, une nouvelle version de la classification des nuages de Luke Howard. Cette nouvelle taxinomie a eu l'heur de plaire aux amateurs les plus opposés, aux réactionnaires les plus circonspects comme aux modernistes les plus fervents. Et, plus important encore, cette classification a rallié à elle le gros de la communauté météorologique internationale, qui l'a unanimement considérée comme un progrès décisif et un approfondissement, plus qu'une réfutation, du travail fondateur d'Howard. Dès l'abord les lecteurs de la classification Williamsson-Abercrombie ont été séduits par l'un de ces coups de force lumineux et inspirés qui sont la marque du génie, dans les sciences comme ailleurs. Les deux hommes ont en effet audacieusement regroupé les nuages en deux classes, chaque classe comportant cinq types : d'un côté les formes nuageuses divisées, ou en boule, plus communes lorsque le temps est sec ; de l'autre les formes nuageuses étalées, ou en voile, qui caractérisent les temps pluvieux. Plus habilement encore, et à l'initiative de Richard Abercrombie, ils ont donné à certains nuages, en plus de leur appellation latine, des noms plus avenants, plus pittoresques ou plus parlants : dans les nuages de type divisé on a vu ainsi apparaître les moutons (cirrocumulus) et mêmes de gros moutons (altocumulus) ; au sein du type cumulus on a trouvé les nuages à pluie, les nuages en monceaux, les nuages à ondées ; les stratus sont devenus les brouillards élevés. À l'heure où la météorologie se démocratise, de telles vulgarisations déchaînent les enthousiasmes. Les météorologues amateurs, toujours plus nombreux en Europe depuis vingt ans, savent gré à Williamsson et Abercrombie de cette clarification.

Le Congrès mondial de Paris de 1889 est le premier depuis la publication de la classification Howard corrigée Abercrombie-Williamsson ; et dès le début du congrès les deux hommes ont reçu de vive voix des compliments appuyés de la part de tous leurs confrères, des sourires des dames dont ils ont signé le livre d'or, des demandes d'éclaircissements de néophytes. La classification Howard corrigée Abercrombie-Williamsson fait désormais autorité. La féconde rivalité de ses auteurs provoque désormais les commentaires et les sourires. Dans le milieu on se renseigne sur eux, et quand on ne trouve rien on brode et on médit. William Svensson Williamsson est le fils de paysans ambitieux de l'Östergötland. Il a toujours excellé à obtenir bourses, subventions, faveurs pour lui-même et ses collaborateurs ; encore qu'une légendaire avarice le pousse à cumuler les fonctions, si elles sont lucratives, plutôt qu'à les déléguer : il est titulaire de deux chaires à l'université, il est aussi le météorologue du roi de Suède, le conseiller spécial du secrétaire d'État aux Affaires maritimes, le prévisionniste du syndicat de la pêche hauturière. Sir Richard Abercrombie, lui, est le riche héritier d'une famille prestigieuse : il y a des siècles que ses ancêtres mâles vont mourir aux quatre coins du monde, de maladies rares ou d'héroïques faits d'armes, pour la plus grande gloire de l'Écosse et, accessoirement, de la Couronne d'Angleterre. Le grand-père de Richard Abercrombie, par exemple, est allé mourir au large du Caire dans une bataille contre les Français dans la plus absurde, donc la plus pure, tradition britannique. En matière de nuages, Abercrombie est un amateur éclairé et fortuné. S'il s'est lié avec Williamsson, c'est pour un jour avoir entamé avec le savant suédois une longue correspondance sur la question, délicate entre toutes, de savoir si le brouillard devait être considéré tout bonnement comme un nuage de basse altitude, ou bien comme un phénomène météorologique à part entière, correspondance qui s'est soldée par le premier article cosigné des deux hommes, « Éléments pour une description systématique des brumes, bruines et brouillards qui se forment au-dessus du sol ».

Il circule par ailleurs, à tous les congrès de météorologie, une histoire peu flatteuse sur les débuts de William S. Williamsson. Une histoire qui en dit long sur ses ambitions, puisqu'elle remonte vingt ans en arrière. En 1870, partout en Europe les armateurs ont enfin compris que la prédiction du temps valait de l'or : retarder ou précipiter le départ d'un navire chargé de bois précieux, pour éviter un grain sévère ou pour profiter des vents dominants, cela peut signifier ou fortune ou faillite. On peut aussi, désormais, faire fortune en bourse en sachant avant tout le monde qu'il va geler dans les vignobles d'Aquitaine, ou qu'il pleuvra trop tôt sur la Prusse. On demande alors aux hommes du temps de quitter l'habit pittoresque du simple connaisseur, de l'amateur éclairé, et d'endosser la blouse blanche de l'homme de science. Le jeune William S. Williamsson a senti venir cette métamorphose, il l'appelle de ses vœux parce qu'elle peut impliquer, à terme, d'immenses bénéfices financiers et sociaux, pour lui et pour tous les Williamsson, pour tous ces paysans prisonniers des servitudes de la terre et des aléas du ciel. William S. Williamsson va être l'instrument de leur arrachement définitif à la boue des champs : telle est la mission que tacitement les parents de William lui ont assignée, comme le dernier et le plus brillant de leurs enfants ; et cet enfant obéissant, loin de se rebeller sous le joug, va l'accomplir avec une vivacité prodigieuse. Il est à vingt ans l'assistant personnel du plus grand météorologue de Suède, Jürgen Svensson, celui-là même qu'il admire tant, à l'âge de dix ans, qu'il fait de son patronyme son second prénom.

À soixante-cinq ans Jürgen Svensson, directeur de l'Institut météorologique royal, installé à Uppsala, est de plus en plus souvent sollicité par les armateurs suédois pour fournir des prédictions de météorologie marine sur dix jours, voire sur deux semaines. En 1870, il a fini par céder, la mort dans l'âme ; car Jürgen Svensson est un enfant du siècle de Rousseau ; ce contemplatif génial se défie de la mécanisation excessive et dit, pour parler de l'observation météorologique, qu'il herborise au ciel. Cet ami des nuages répugne à prédire le temps, exactement comme un chimiste s'agace de se voir toujours demander des produits miracles pour la pousse de cheveux ou contre les embarras gastriques. Jürgen Svensson conserve pieusement sur son cœur un billet que Luke Howard lui a envoyé, au soir de sa vie, pour l'encourager dans ses recherches. Il préfère, aux modernes et abstraites lignes de fronts climatiques que l'on commence à vouloir dessiner, les vieilles aquarelles du temps tel qu'on le voit. Pourtant Jürgen Svensson n'éconduit

pas les armateurs et les assureurs qui viennent sol-
liciter des conseils sur des routes maritimes, des
consignes d'observation du ciel en mer. Il sait pertinemment que ces mêmes hommes paient, par
leurs dons, ses recherches plus fondamentales ;
mais il reste un aristocrate, et ne comprendra
jamais vraiment qu'on ne puisse se satisfaire de savoir de façon désintéressée.

C'est cet être charmant et dépassé que Williamsson a choisi pour mentor ; il sert le Maître
avec une obéissance filiale pendant près de vingt
ans. Puis il juge avoir tout appris de lui. Jürgen
Svensson va atteindre ses soixante-treize ans. Il ne
semble pas diminué par les ans, ni vouloir prendre
sa retraite. L'hiver 1879 est en Suède particulièrement atypique, déconcertant, et il n'en finit pas de
s'achever. D'une façon générale, à la fin de l'hiver,
les bulletins hebdomadaires de l'Institut d'Uppsala font l'objet d'une attention particulière dans
toute la Suède : les patrons pêcheurs, les propriétaires des transports de voyageurs attendent avec
impatience la possibilité de reprendre leurs activités à plein régime. Toute la Suède est tournée
vers Svensson. Mais Svensson hésite à donner le
feu vert : pour lui cet hiver n'est pas fini. Alors,
tandis que chaque jour tous les marchands égrè-
nent leur manque à gagner, et comme souvent en
de pareils cas, on finit par confondre dans une
même hostilité le mauvais temps et celui qui l'annonce : dans certains journaux apparaissent des articles persifleurs sur l'Institut météorologique, sur
ses coûts de fonctionnement, sur ses méthodes su-
rannées et sur la morgue de son directeur.

Svensson les montre avec chagrin à son jeune disciple. Le jeune disciple compatit.

Le lundi 16 mars 1879 est dans toute la Suède une journée de redoux très net, presque printanier. Le dernier bulletin de l'Institut royal de météorologie, publié le vendredi précédent, annonçait une aggravation du froid et de violentes tempêtes. Un puissant syndicat de la pêche a annulé une campagne de chalutage sur la foi de ce bulletin-là, et les voyageurs de ligne commerciale eux-mêmes, simples touristes ou travailleurs, sont au bout de leur patience : ils exigent de pouvoir traverser, vers le continent. Le redoux se confirme le mardi et la presse brocarde l'Institut. Un journaliste du plus grand quotidien national fait preuve en cette occasion de connaissances d'une précision et d'une actualité stupéfiantes en matière de prévision du temps : il reproche à l'Institut de ne pas tenir compte des derniers développements de la science, schémas et démonstrations à l'appui. Svensson comprend qu'il est la victime d'une malveillance au sein même de l'Institut, et s'en ouvre à son disciple Williamsson, qui promet de mener une enquête. Heureusement le redoux ne se confirme ni le mercredi, ni le jeudi : la presse se calme. Mais tout le monde attend avec fébrilité le bulletin du vendredi 23 mars 1879. Jürgen Svensson demande à son jeune disciple s'il n'est pas temps d'employer les méthodes que le journaliste d'Oslo préconisait ; mais Williamsson n'a pas de peine à le convaincre qu'un tel geste donnerait raison aux plus acharnés de ses détracteurs. Dans la nuit du jeudi, Svensson, comme d'habitude, prépare son bulletin à partir des données fournies par William S. Williamsson. Et c'est avec un immense soulagement qu'il constate que ses observations le conduisent à prédire un beau temps sec sur toute la Suède pour la semaine à venir, assorti de températures clémentes pour la saison. Svensson communique sans délai ce bulletin aux armateurs, aux chambres de commerce, aux compagnies de voyages maritimes.

William S. Williamsson naturellement a été consulté par la commission d'enquête chargée d'analyser la catastrophe du bulletin du 23 mars 1879, et il a nié avoir communiqué des chiffres inexacts au professeur Svensson, tout en indiquant qu'il aurait aimé que cela fût vrai : car alors la honte d'une erreur aurait été épargnée à son maître vénéré. Ici nous entrons dans le domaine de l'invérifiable. Les adversaires les plus indulgents de Williamsson l'accusent d'avoir mal collecté les données ; les plus féroces sont persuadés que, sentant son heure venue, il a été l'informateur du journaliste d'Oslo, et que c'est délibérément qu'il a falsifié les données transmises à Svensson ; qu'au surplus ses propres calculs lui montraient que le printemps n'arriverait pas sur la Suède avant une semaine ; mais que Williamsson n'était pas fou au point de s'exposer, jeune encore, à l'hostilité des puissants qui voulaient s'enrichir et à celle du public qui voulait naviguer. Forts du bulletin du vendredi 23 mars 1879, dès le samedi aux aurores des dizaines de chalutiers prennent la mer ; les liaisons commerciales et de passagers entre la Suède et la Frise sont rétablies. Le samedi est remarquablement calme. Mais entre le 25 et le 27 mars 1879 on compte mille trois cents morts en Suède, et cinq cents victimes d'autres nationalités. La première tempête balaie tout le pays, du nord au sud, en quelques heures, dans l'après-midi du dimanche ; une seconde tempête, plus violente encore, éclate dans la nuit du lundi, et suit à peu près le même trajet. C'est celle-là qui coule les chalutiers juste avant qu'ils regagnent leurs ports. Svensson quant à lui met trois jours à mourir. La balle qu'il s'est tirée dans la bouche est ressortie par l'oreille, parce qu'il a mal choisi son calibre. Il a le temps de recommander son fils spirituel William S. Williamsson comme son successeur. Williamsson tire des larmes à l'assistance quand il évoque ses années d'apprentissage auprès du grand Jürgen Svensson. Il souligne l'urgence de continuer son œuvre ; il est encore trop tôt pour en faire le bilan ; mais l'on peut d'ores et déjà, ici même, devant la fosse ouverte de ce passionné du temps tracer le programme d'une modernisation de l'Institut, que l'on doit à toutes les victimes d'une erreur tragique. William Svensson Williamsson trace ces perspectives avec brio et concision. En juillet 1879, il prend la direction de l'Institut météorologique royal d'Uppsala, pour ne plus la quitter. Telle est l'histoire peu flatteuse qui circule sur l'orateur qui vient de prendre la parole au congrès de Paris ; personne ne se risquerait, cependant, à aller l'interroger là-dessus. L'homme est puissant, et se souvient de tout.

Dix ans ont donc passé et, le 20 septembre 1889, au premier jour du congrès, William S. Williamsson discourt devant ses pairs ; il évoque Paris, et sa vocation de capitale universelle ; il parle de la fée Électricité et de l'orage ; il parle des lumières de la néphologie — car il propose ce terme pour désigner la nouvelle science des nuages —, de cette néphologie qu'il faut répandre jusqu'aux extrémités du monde connu ; il parle de l'impérieuse nécessité d'universaliser la classification Howard, modifiée 1887. Et c'est ainsi, ajoute Williamsson pour terminer son oraison, que nous arracherons aux nuages leurs secrets. On l'applaudit. Mais le grand William S. Williamsson a repris son souffle, il se projette maintenant d'un bond, et avec lui son public captivé et frémissant, dans le futur : que sera l'an 2000, du point de vue néphologique ? Il serait présomptueux de l'affirmer. On peut toutefois, raisonnablement, le prévoir. Sans excès d'optimisme, on peut d'ores et déjà affirmer qu'en ce temps-là il n'y aura plus de déserts. Nous saurons déplacer les nuages et maîtriser les pluies. Nulle part, plus de mer de sable. Ou bien nous en garderons un, au Sahara probablement : un désert de sable de petite taille, pour des excursions en ballon, pour des traversées d'agrément à dos de chameau ; on y chassera la gazelle ou le fennec et, quand viendra le soir, au bord abrité d'un oued, on commandera aux autorités locales, par un moyen de communication radioélectrique, une légère couverture nuageuse, afin de réchauffer l'atmosphère et de permettre aux dames qui le souhaitent de dormir à la belle étoile, dans une brume rafraîchissante. Mais ce ne sera pas tout, car qui dit contrôle des nuages dit aussi bien et surtout contrôle de l'agriculture. Nous en aurons fini avec les famines chroniques des sauvages de toutes races ; des champs de tomates couvriront le Sahel, des océans de blé se balanceront dans les longues plaines du Kalahari. On ne verra plus dans l'Inde, ni dans l'Orient extrême, des milliers de paysans craindre la mort pour un simple retard de mousson, pour une averse trop violente, ou trop parcimonieuse. Partout où il le faut le riz deviendra une culture à l'année. Il pleuvra sur l'ancien désert du Néguev ; et la manne que le Dieu d'Israël réservait au peuple élu, l'Homme Moderne la dispensera à son frère. Les habitants de Londres n'auront plus à se chauffer six mois par an, et les cieux de cette métropole retrouveront leur pureté originelle. Seule peut-être la gracieuse cité de Paris, douée par les dieux d'un climat si clément, n'aura pas à être amendée. Dans l'assistance, bercées par la voix chaude et puissante de l'orateur, des femmes ferment à demi les yeux sur des visions de printemps perpétuel à

Madrid, à Sydney, au Cap, en se demandant ce que sera la mode ; des hommes oublient qu'ils ont faim, tant les flatte cette exaltation de leur puissance météorologique. Williamsson, lui-même enflammé par sa verve, jette périodiquement de lourds regards, depuis dix minutes, sur une veuve congressiste, grasse et frémissante, au sixième rang. Enfin, connaissant la versatilité des foules, Williamsson écourte habilement la péroraison de son discours. En l'an 2000, au train où nous en sommes, nous aurons compris d'où les nuages puisent leur énergie : leur force ascendante, nous la domestiquerons ; nos aéronefs, silencieux et gracieux, glisseront sans effort d'un continent à l'autre, au-dessus des naturels émerveillés. Il n'y aura plus de distinction entre les régions fertiles et les régions stériles ; la terre sera ce jardin où nous vivrons l'âge d'or dont nous entretiennent les mythologies et les religions, et l'homme sera bon ; nos petits-enfants reverront verdir et fleurir les plaines désolées de Canaan, et ce que la foi de nos ancêtres chantait, la science de nos petits-enfants l'accomplira sur terre.

Il était temps de finir : dans la salle quelqu'un avait toussé, bientôt imité ici ou là ; d'autres spectateurs avaient changé de position sur leur siège, pour couvrir leurs borborygmes ; seule la veuve du sixième rang, frémissante comme une terrine en gelée, est restée suspendue jusqu'au bout à ses lèvres, à sa barbe, à son torse puissant. Williamsson ne couchera pas seul ce soir, et cette pensée n'est pas loin de le distraire de l'essentiel. Le public, qu'il surveille tout en feignant de ranger ses papiers, a éclaté en applaudissements, debout, autant parce qu'il les a fait vibrer que parce qu'il a su terminer à l'heure. Il faut saisir l'instant où l'on peut les reprendre encore en main. Cet instant, le voici, les applaudissements ont décru, mais restent synchrones : Williamsson fait claquer son dossier contre le pupitre et lève un bras césarien ; la foule, domptée, fait silence. Aussitôt des assistants du professeur paraissent et circulent dans les rangs de l'amphithéâtre. L'assistance se rassoit, subitement reconquise. Les assistants donnent à chaque porteur du ruban officiel du congrès un exemplaire d'un ouvrage neuf, qui sent le papier jeune et la colle fraîche. L'ouvrage est d'un format presque carré, d'une trentaine de centimètres de côté. Le titre qui s'étale sur sa couverture grisée en allemand, en français, en anglais et en suédois provoque des murmures appréciatifs dans l'assistance : William S. Williamsson a donc enfin réalisé le premier *Atlas international des nuages*. L'orateur, à la tribune, laisse ses confrères prendre connaissance de l'ouvrage. Ce n'est pas un livre épais mais, pour tous ces spécialistes, il est d'une richesse inégalée. Il s'agit de dix lithographies en couleurs, qui naturellement correspondent chacune à un type de nuages de la classification Howard, remaniée par Abercrombie et Williamsson. Elles sont suivies d'un texte d'explication : c'est sous la direction des savants que les artistes ont œuvré, n'hésitant pas, lorsque le sujet le réclamait, à sacrifier l'Art sur l'autel de la Science ; chaque lithographie est fidèle au Vrai.

184

À la tribune, Williamsson baisse modestement les yeux. Puis il remercie tous ceux qui ont collaboré à l'ouvrage et qui sont trop nombreux pour être nommés. Enfin il en vient au fond du débat : ces images, certes imparfaites, permettront à ses chers collègues de faire entrer la néphologie dans une ère nouvelle. Celle de la Science. Aucune des formes qui sont peintes ici ne se trouve dans la nature (murmures de stupeur) ; c'est même là que réside leur intérêt (silence ; quelques murmures approbateurs). Car, lance Williamsson à ses chers collègues, on ne doit pas exiger d'un atlas des nuages qu'il soit beau, du point de vue artistique, ce qui détournerait le spectateur de l'attention qu'il doit au Vrai ; de même le paysage figuré par les artistes, d'ailleurs relativement anonyme, n'a d'autre utilité que de fournir des repères pour l'examen du ciel. Et il ne sera pas dit que, en cette année du centenaire de la Révolution française, la Société météorologique mondiale se sera rangée dans les rangs de la réaction : demain nous réaliserons d'autres chromolithographies, si vous nous en donnez les moyens ; les meilleurs aquarellistes seront mis à contribution par les meilleurs scientifiques et ainsi l'Art, rejoignant le giron de la Science qu'il n'aurait jamais dû quitter, donnera sous notre houlette naissance au premier « Atlas mondial des nuages » digne de ce nom, et vos descendants, à la fin du vingtième siècle, dans un monde pacifié et fertile diront, avec fierté, parlant de ce congrès : ils furent audacieux, et ils avaient raison. Il y a peut-être encore une suite au discours ; mais le public, revenu à un enthousiasme estudiantin, fait claquer les strapontins pour saluer, en une langue unique, le nouveau maître de la météorologie mondiale. Le président décrète la séance close. La séance rituelle des questions à l'orateur est remise à l'après-midi. On sort, on se débande dans les cafés du boulevard de l'Hôpital. Au pied du dôme de la Salpêtrière, des cercles serrés de congressistes se pressent autour de Williamsson pour le féliciter. On l'invite à déjeuner, à dîner, à souper. Williamsson décline toutes les offres : il va retourner à son hôtel, près de l'Opéra, pour se reposer ; il doit préparer la séance du lendemain matin. On chuchote son admiration devant tant d'abnégation. On s'écarte, il avance à grands pas sur le boulevard. Une grosse dame brune est là, qui propose sa voiture : elle va justement dans la direction de l'Opéra. Ils partent. Williamsson salue à la fenêtre ses admirateurs. Le fiacre est à peine arrivé place de la Bastille qu'il a déjà renversé son hôtesse, qui mord le drap de son accoudoir pour ne pas être entendue du chauffeur.

Personne ne regrette la séance de questions, sauf un participant que tout le monde a oublié dans la commotion. Cet homme est évidemment Richard Abercrombie. Quand un assistant lui a tendu un exemplaire de l'*Atlas international des nuages*, il n'a pas manifesté la moindre émotion ; il ne s'est pas dressé en clamant à la cantonade que Williamsson ne l'a pas même prévenu de cette publication. Il n'a pas révélé que le Suédois lui a demandé, comme une faveur, de ne point parler de l'*Atlas* au congrès de Paris, en alléguant leurs divergences croissantes. Abercrombie n'a rien dit. Par un heureux hasard, il est justement le premier orateur de l'après-midi.

L'après-midi, lorsque Abercrombie s'apprête à prendre la parole, les rangs, bien que le président de cette séance en ait repoussé le début jusqu'à trois heures, les rangs du public sont clairsemés. Le professeur Williamsson a été victime d'un léger malaise et prie qu'on veuille bien lui pardonner son absence. Allongé sur le dos en travers de son lit, William Svensson Williamsson besogne avec enthousiasme la grosse dame qu'il tient par les hanches, et dont les seins battent le ventre avec un bruit mouillé. Les plus vieux conférenciers ont saisi l'occasion de l'*Atlas* au vol. De toasts en libations, leur optimisme n'a cessé de croître, si bien qu'ils sont maintenant égaillés dans différents établissements de luxure, parce qu'il faut bien que les congrès servent à quelque chose. Ils ne bandent plus guère, mais cela aujourd'hui ne les attriste pas : ils sont saouls. Quand enfin la parole est donnée, à la demie de trois heures, à Richard Abercrombie, et qu'il monte à la tribune, il comprend, sans s'en étonner, que la partie est perdue pour lui. Il se souvient alors que c'est à la demande de

Williamsson qu'ils ont échangé leurs ordres de passage ; mais cela même le ferait plutôt sourire, maintenant. Depuis la fin de la matinée il a décidé, contre tous les usages de tous les congrès, de parler de ce qui lui tient à cœur ; il a rangé dans sa mallette une communication, assez technique, sur la « méthodologie de l'observation climatique en milieu marin ». Il va faire ce qu'il n'a jamais fait, il va improviser. Par la verrière de l'amphithéâtre, il regarde courir vers l'est des traînées de nuages.

Abercrombie parle peu, et plutôt mal. Il ne parle pas bien habilement, puisqu'il ne dit que le nécessaire. Personne ne l'écoute, personne ne l'entend, mais il parle devant ces rangées de trognes rougies par la digestion, en se disant qu'on ne sait jamais, qu'il en restera bien trace quelque part ; c'est comme tirer à l'arc au jugé, il lance ses idées le plus loin possible, sans savoir où elles vont retomber, sans savoir si quelqu'un les trouvera un jour assez intéressantes pour les ramasser. Il dit qu'en somme, de même qu'à la surface de la planète l'espèce humaine offre le spectacle d'une impressionnante diversité, de même l'espèce nuageuse ne devrait pas se présenter inchangée sous toutes les latitudes. Abercrombie ajoute que la chromolithographie laisse planer sur l'ensemble de l'*Atlas* une incertitude artistique de mauvais aloi. Il précise que l'héliotypie, comme on disait jadis, ou si l'on veut l'héliogravure, comme on disait naguère, ou, comme on l'appelle maintenant, la photographie offre seule l'objectivité nécessaire à l'observateur sans préjugé. Bref, Richard Abercrombie ennuie tout le monde. Un bruissement annonce que

Williamsson pénètre dans l'amphithéâtre, il salue son confrère d'un geste large, tout en se demandant si l'on sent, autour de lui, l'odeur de rut qui parfume son visage. Il paraît soucieux, mais il ne l'est pas : il essaie juste, avec sa langue, de dégager un poil qui s'est coincé entre deux de ses dents. Abercrombie a dû s'interrompre et saluer en retour ; il reprend son discours. Il profite de la présence de son éminent confrère pour dire un mot de son rêve d'un monde nuageux au service de l'Homme. Richard Abercrombie demande la permission de réserver son enthousiasme ; car quand bien même nous saurions comment naissent, vivent et meurent les nuages, nous ne saurions toujours pas ce qu'une tentative pour les domestiquer produirait. Il dit qu'il faudrait aller, d'abord, photographier tous les nuages du monde, *pour voir*. Il dit qu'il suffirait à cette tâche d'un homme résolu et amoureux de la science, d'un homme familier de la technique du daguerréotype ; qu'il suffirait que cet homme fasse le tour du monde et en ramène l'image des cieux de toutes les latitudes pour que la polémique se résorbe d'elle-même ; et il annonce enfin que cet homme-là, ce sera lui, Richard Abercrombie, et qu'il partira dès le mois prochain, et demande à son estimé collègue William Svensson Williamsson de bien vouloir l'accompagner, afin qu'ils publient ensemble, à leur retour, le véritable « Atlas universel des nuages » (applaudissements soutenus). Williamsson s'avance vers Abercrombie, les bras ouverts. Il monte à grands pas vers la tribune. Il serre son adversaire dans ses bras. Il est au regret d'avoir à décliner l'invitation de son collègue estimé, car il est retenu par diverses charges. Il n'est qu'un pauvre paysan parvenu. Sir Abercrombie a la chance de pouvoir mettre sa fortune personnelle au service de la science : qu'il parte, et Williamsson le suivra en pensée, chaque minute ; il se tiendra informé des progrès de ses travaux. Qu'un communiqué officiel du congrès nomme officiellement Richard Abercrombie responsable de ce projet grandiose, digne du pays qui les accueille. Et c'est dans un enthousiasme indescriptible que les congressistes de Paris votent à main levée la nomination de ce nouveau commissaire des nuages. Ensuite la sieste reprend, pendant que deux jeunes savants font leurs premières armes à la tribune. Williamsson s'est éclipsé. Richard Abercrombie regagne à pied son hôtel, sur le boulevard Saint-Marcel. Deux jours après il est à Londres. Là, il s'aperçoit qu'il n'a pas visité une seule fois Paris. Quant à Williamsson, il oublie complètement cette histoire ridicule ; l'essentiel est qu'il est débarrassé de cet Écossais exaspérant de probité sévère.

Dans quelques heures, quand il aura les idées plus claires, Akira Kumo constatera avec une morose curiosité qu'il n'est pas encore mort. Il se trouvera alors à l'hôpital, il ne sentira pas grand-chose, il ne sera pas mort, c'est tout. Il se dira qu'il aurait pu, qu'il aurait dû prévoir cet échec. Certes il a bien lu quelque part, comme tout le monde, que le suicide par défenestration n'est pas, et de très loin, la méthode la plus sûre ; mais comme tout le monde il a toujours tenu pour des informations acceptables, mais statistiquement non pertinentes, toutes ces histoires de candidats au suicide rabattus par le vent dans les immeubles d'où ils avaient sauté, ou de malheureux miraculeusement sauvés, en contrebas, par l'épaisseur d'une haie de troènes, ou par le contenu d'une benne à ordures qui n'aurait pas dû se trouver là. Mais il a sauté sans réfléchir. Et maintenant il redoute d'avoir à subir l'entrain bourru des infirmières, la pitié dédaigneuse du chef de clinique ; et puis les questions insinuantes du psychologue de service, de l'interne en psychiatrie ou même de l'aumônier. Mais surtout il va falloir recommencer à vivre, à se traîner dans ce corps usé, usagé, et il ne lui sera pas possible avant plusieurs jours, voire plusieurs semaines, sans doute, de se tuer proprement. Mais pour l'instant Akira Kumo est encore couché sur le bitume de la rue Lamarck, il vient de reprendre conscience, face au ciel qui se moque de lui et du reste, et il pense un peu tard à la peine qu'il va faire à tout son entourage.

Maintenant Akira Kumo aperçoit, très loin, à dix kilomètres au-dessus des toits de Paris, de délicats cirrus, de ces nuages si aériens, si légers, qu'ils semblent imiter la mousseline la plus fine, ou qu'ils paraissent des griffures laissées par un animal inconnu, et qui parfois transforment le ciel en une sorte de plage d'où se seraient retirés les flots. Il les connaît bien. Il est assez fier de savoir que les cirrus annoncent plutôt, sous la latitude où il se trouve, l'arrivée du mauvais temps. Ce sont ses nuages préférés. Il les a toujours pris pour des oracles, ou pour des signes mystérieux, tout en constatant pourtant qu'il était incapable de les déchiffrer de façon claire, univoque. Souvent Akira Kumo pensait, en les voyant, aux formes que prend le sperme, quand il s'étale sur un con très rose ou qu'il s'étire dans l'eau d'une baignoire. Cette fois-ci les cirrus ne lui semblent rien signifier de particulier ; ils sont là, au-dessus de lui, et c'est tout. Il ne parvient absolument pas à les interpréter ; cela ne diminue en rien, à ses yeux, leur ineffable et discrète beauté, et, pour la première fois peut-être, il les aime exactement pour ce qu'ils sont. Puis il s'évanouit parce que l'effet salutaire du choc est passé, et que la douleur de sa jambe gauche, brisée, vient de se manifester brutalement.

Privés de leur seul observateur attentif, les nuages continuent d'exister au-dessus de la rue Lamarck, mais pour rien et pour personne. L'immense majorité des habitants de la ville de Paris ne leur prête aucune attention : les cirrus flottent, presque immobiles, au-delà de la zone des stratus ; postés à l'extrême limite de l'atmosphère terrestre, ils sont de glace, et non d'eau. Les passants marchent la tête basse d'un point à un autre, d'un néant à un autre, sans prise sur leur existence, sans aucune idée de ce que peut être une vie riche et libre, sous le ciel impavide.

Quelques passants sont très occupés à feindre de ne pas voir ce vieil homme inanimé, dont le corps frêle vient de s'étaler sur le bitume de la rue Lamarck. Puis un jeune homme s'arrête, et téléphone ; bientôt arrivent ceux qui s'occupent à Paris de tout ce dont personne ne veut plus s'occuper : les pompiers ramassent très soigneusement le vieil homme. Vingt-quatre heures à peine après avoir enjambé son petit balcon, Akira Kumo se retrouve à son point de départ, dans sa chambre. On a jugé qu'il était impossible de le plâtrer ; la nuit, on le sangle sur son lit, car un mouvement brusque, né d'un rêve, pourrait endommager définitivement sa moelle épinière ; il ne sent d'ailleurs plus ses jambes. Il passe la journée à dormir sans sommeil, à cause des analgésiques. L'entourage propose de le placer dans sa pièce préférée. Puis on réfléchit que, couché sur le dos dans sa bibliothèque, il ne verra pas grand-chose du ciel. Mais

Akira Kumo déclare que cela n'a aucune importance, et qu'il en a fini avec le ciel et les nuages. On laisse le blessé dans sa chambre et, à sa demande, on laisse les grands volets de bois fermés, avec un peu de soulagement, comme si ce vieillard à demi paralysé allait retrouver d'un coup l'usage de ses jambes et sauter la tête la première.

Le lundi vers huit heures du soir, Akira Kumo s'éveille dans un meilleur état général, et on lui porte son courrier personnel. Il remarque immédiatement le colis de Londres. Akira Kumo demande où se trouve Mlle Latour. Quelques minutes plus tard, elle sonne à la porte de l'hôtel particulier de la rue Lamarck.

Akira Kumo sourit de la voir sourire. Ils ne parlent pas de son suicide, ils ne parlent pas de sa lettre. Ils ne disent rien. Ils sont si heureux de se revoir qu'ils n'osent pas se regarder en face bien longtemps. Virginie parle un peu de Richard Abercrombie, elle raconte l'enterrement sur la colline. Puis elle ouvre le paquet de Londres, elle tourne les pages au hasard pour Kumo, sans un mot. Seules les deux premières pages du protocole Abercrombie comportent des épreuves photographiques de ciels, méticuleusement référencées d'une petite écriture soignée, fine. Un coup d'œil suffit à Kumo pour comprendre le sens de ces clichés-là : ils proposent, pour chacune des deux premières catégories de la nouvelle classification Howard modifiée Williamsson-Abercrombie, six images. Alors Akira Kumo et Virginie Latour commencent à discuter.

Chacune de ces images a été prise en un endroit différent de la terre, comme l'indiquent les légendes. Richard Abercrombie a commencé par les cirrocumulus : à Lisbonne, à Malte, au Caire, dans le port d'Aden, à Madras, à Sydney, il a soigneusement cadré, chaque fois, un ensemble significatif. Or cette leçon de choses photographique est d'une aveuglante clarté : l'hétérogénéité des formes nuageuses saute aux yeux. Abercrombie a bel et bien démontré, à la fin du dix-neuvième siècle, ce qui paraît évident à tout voyageur d'aujourd'hui : l'existence d'une telle variété de phénomènes qu'une classification trop simpliste la trahit ; mais le simple fait, simultanément, de voir les six clichés sur la même page se retourne contre celui qui les a pris ; car il est bien évident, aussi, qu'il existe tout autour du monde des nuages qui méritent tout de même l'appellation unique de cirrocumulus. La deuxième page, consacrée aux cumulus, appelle les mêmes remarques. Est-ce parce qu'il s'en est aperçu que Richard Abercrombie s'est interrompu ? Les pages suivantes, libellées à l'avance en fonction des types de nuages, sont restées vierges de photographies, et de petits coins adhésifs. La solide et brutale classification qu'il a contribué à mettre en place reste parfaitement opérationnelle ; en raison même de son inexactitude fonctionnelle. Mais l'étrangeté du comportement d'Abercrombie reste un mystère : un homme de sa trempe, universellement connu pour une droiture qui confine au puritanisme, n'interrompt pas ainsi une recherche, sous le prétexte qu'elle lui donne tort. On imagine parfaitement cet homme-là se présenter au congrès mondial suivant, celui de 1893, à Vienne, monter à la tribune avec ses clichés, appeler son adversaire et convenir, en gentleman, de sa défaite pleine et entière. Au lieu de cela, il rompt avec les milieux scientifiques, il garde le secret de son protocole, jusqu'au bout. Akira tourne rapidement des pages ; sur une face des feuilles vierges de ce catalogue interrompu, Richard Abercrombie a tenu une sorte de journal hétéroclite, fait de longs textes rédigés dans une écriture minuscule, de croquis, de maximes étranges ; et, plus bizarrement encore, il y a ces photographies spéciales qui occupent l'autre face des feuilles, des centaines de photographies de sexes féminins.

Une page de classeur comprend quatre clichés seulement, de format assez réduit. Leur nature suffit à expliquer les réticences d'Abigail, devenue sage, à rendre public pareil document ; les clichés ne cherchent pas l'excuse de paraître ethnographiques, ou même anthropologiques. Les sujets qui ont posé sont tous entièrement nus ; ils ne portent ni bijoux ni tatouages visibles. Le protocole Abercrombie consiste en des centaines de photographies de sexes féminins, rangées par séries de quatre, sur la page de gauche de l'album. Les clichés ne relèvent pas non plus du style vaporeux, supposément suggestif, de la photographie dite de charme de ces années-là, ni de la gaudriole puérile de la pornographie habituelle ; simplement, frontalement, tranquillement, le professeur Abercrombie, membre de la Royal Society, a photographié des sexes féminins. Ils sont, à l'évidence, soigneusement éclairés pour que tous les détails en soient visibles et, le cas échéant, les poils trop fournis ont été peignés, ou bien ils sont légèrement écartés par la main du sujet. Sous chaque photographie, Abercrombie a noté un nom, apparemment celui de la femme qui pose, puis celui de la localité et du pays où elle a été prise ; sur une deuxième ligne figure une date complète. Dans le coin supérieur droit de la page trente, par exemple, se trouve l'image d'une certaine Fatia, prise à Tananarive, sur l'île de Madagascar, le 6 décembre 1889 : sa toison d'un noir profond est drue, elle est plantée haut et laisse à découvert de petites lèvres ouvragées, presque translucides, entrouvertes sur une chair beaucoup plus claire, d'un brillant presque nacré. Les pages de droite sont couvertes de dessins répétitifs où Kumo distingue des coquillages, des têtes d'animaux, encore des sexes féminins, des nuages aussi. Chacune des entrées est datée. L'infirmière de nuit vient prendre son service, vers onze heures du soir. Le couturier doit se reposer. Dans les jours qui viennent, Akira Kumo doit brièvement séjourner à l'hôpital ; Virginie accepterait-elle d'étudier pour lui le Protocole, et de lui en rendre compte ? Virginie Latour accepte.

Quinze jours plus tard, Virginie retrouve le couturier, sanglé dans un fauteuil médical barbare, au milieu de sa bibliothèque. Elle s'assoit près de lui. Pour comprendre Richard Abercrombie et sa collection de photographies, commence Virginie Latour d'une voix ferme et fière, il faut savoir que tout a commencé à Dartmouth, au mois de novembre 1889. Akira Kumo ferme les yeux. Il écoute. Il est heureux.

Comme beaucoup de fous inventifs, Richard Abercrombie est un homme d'ordre, un délirant organisé, précis, méthodique. Il faut une stricte discipline personnelle pour partir autour du monde et réaliser un *Atlas universel des nuages*. Il faut une méthode pour un projet aussi tranquillement dément : Abercrombie est exactement l'homme de ce projet-là. Naturellement son itinéraire est fixé avant son départ, avec le plus grand soin, en fonction non pas de la vitesse de déplacement (puisque Richard Abercrombie ne cherche à battre aucun record), mais en fonction des saisons qu'il veut immortaliser (il convient selon lui de ne pas manquer, par exemple, les crépuscules de l'été austral), et des phénomènes frappants qu'il veut observer, comme la mousson indienne. Richard Abercrombie a choisi un appareil de prises de vues photographiques simple et robuste, en trois exemplaires identiques : une chambre presque carrée, deux objectifs de rechange. Il emmène peu de produits de développement, puisqu'on peut désormais les trouver aux antipodes ; en revanche il embarque un important stock de papier, pour garantir l'homogénéité de ses tirages. Il a testé ses trois appareils en prenant des vues du port de Dartmouth, où il attend son départ, et qu'il développe dans sa cabine : de petits cartons de neuf centimètres de long et de huit de haut. Il fixe le premier, avec des coins préencollés, sur la première page d'un gros album, à couverture épaisse, recouverte de toile serrée, vert bouteille. Il compte qu'il prendra en chaque endroit précisément dix fois six clichés, qui correspondront exactement à la classification en dix genres qu'il a lui-même élaborée en étroite collaboration avec William S. Williamsson : trois vues de jour répétées deux fois, trois vues de nuit en double également, quand la chose sera possible. Puis Richard Abercrombie reviendra à son point de départ, inchangé, porteur de vérités intangibles. Il se rendra au congrès de Vienne, en 1893 ; dans un mouvement spontané d'admiration les congressistes, un peu honteux d'avoir douté de leur confrère, l'éliront à la présidence de la Société météorologique mondiale. Alors seulement, il aura tout connu. Alors il s'en ira, retiré, dans sa ferme fortifiée, sur les collines d'Ochill en Écosse, et il y chassera le lièvre avec Scott, son fidèle terrier. De jeunes savants enthousiastes et timides viendront du monde entier lui demander conseil, en l'appelant Maître malgré ses protestations ; une délégation de collègues viendra lui porter un toast, pour son soixante-dixième anniversaire. Puis il mourra des suites d'une longue maladie, entouré de l'affection de ses fidèles serviteurs ; on prendra selon l'usage un masque mortuaire, on conservera son cerveau dans un bain de formol, pour la postérité. Inconsolable, le chien Scott ne lui survivra pas ; un gardien du cimetière le trouvera sur la tombe encore fraîche : son petit cœur aura lâché.

Lorsque Richard Abercrombie, le 28 novembre 1889, quitte le port de Dartmouth, dans le Devon, quelques minutes après midi, pour effectuer à l'âge de quarante-sept ans le tour de la planète, il est encore vierge. Par superstition, comme l'atteste son journal, il s'abstient même de pratiquer la masturbation, depuis fort longtemps. Il croit la chasteté nécessaire à l'épanouissement de son génie. Quand il retrouvera l'Angleterre, Richard Abercrombie ne sera plus vierge, et bien d'autres choses encore auront changé. Pourtant, en novembre 1889 ce tour du monde n'est pour lui qu'un voyage scientifique de plus, un peu plus long, un peu plus pittoresque qu'un autre sans doute ; mais en aucun cas différent. Il a déjà visité le Canada et l'Islande, l'Espagne : il en est revenu plus savant, et c'est tout.

Richard Abercrombie part en homme de son siècle, avec une Bible et cent trente kilos de bagages. Il porte une moustache coudée qu'il entretient tous les jours, et de longs favoris bien peignés, il porte des bottines vernies à laçage compliqué et des chapeaux melons, il porte une montre de gousset frappée à son chiffre et des chemises monogrammées à col dur. Il est membre de la Société royale de météorologie, membre correspondant de l'Académie des sciences, membre honoraire de la Société de météorologie des terres australes. Il est enfin et surtout l'auteur de deux ouvrages universellement respectés : ses *Principes de prévisions météorologiques* ont fait l'admiration de tous, avec ses cent soixante-trois pages et ses soixante-cinq illustrations, dont six planches hors texte en couleurs ; son traité, une habile synthèse sobrement intitulée : *Le Temps* (472 pages, 96 illustrations), reste une référence, constamment réédité. Au moral, Richard Abercrombie possède ce courage très britannique qui impressionne les imbéciles et agace les Français : un jour qu'une discussion l'opposait, au fumoir de la Société météorologique d'Édimbourg, à un partisan du déterminisme absolu qui soutient que la volonté humaine n'est rien, Richard Abercrombie, d'un geste sec, se sectionne la dernière phalange du petit doigt gauche à l'aide d'un coupe-cigare ; ensuite, et tout en garrottant la plaie avec un mouchoir propre, il apporte brillamment la contradiction à son adversaire effaré. Des hommes tels que Richard Abercrombie ne sont pas enclins à changer ; comme les navires de Sa Majesté la reine, ils traversent le monde selon des trajectoires impavides, coupantes comme des lames, précises comme des horloges ; ensuite ils meurent, et d'autres les remplacent.

S'il entreprend cette expédition, c'est pour en ramener un livre. Plus curieusement encore, il part en sachant ce que sera ce livre. Il compte déjà sur lui ; en quittant le port de Dartmouth, il s'en redit le titre à mi-voix : « Mers et cieux sous de multiples latitudes », et, plus bas encore, il en énonce le sous-titre, dont il est si fier : « À la recherche du temps ». Ce sera, il le sait et il le sent, une œuvre singulière, inouïe. Certes, depuis trois siècles d'innombrables aventuriers, explorateurs, savants et amateurs encombrent les bibliothèques du récit de leurs périples. Depuis trois siècles on vend au mètre des cohortes d'anecdotes originales et qui sont toujours les mêmes : repas insolites à base d'insectes ou de reptiles, méprises cocasses ou tragiques avec des indigènes qu'il faut calmer à coups de petits cadeaux ou de fusil. Abercrombie a lu assez de ces récits de voyage pour savoir que leurs auteurs ont la manie, fort innocente au demeurant, de recopier leurs prédécesseurs sans la moindre vergogne. Il sait qu'en 1889 tout a été fait en ces matières, que tout a été décrit, analysé, étiqueté. Le monde est désormais fini, et bien fini. Sur les rayonnages de la bibliothèque du British Museum, à Londres, le lecteur patient peut trouver les différentes races d'hommes et de bêtes, toute la variété des formes de la vie végétale, les montagnes et les rochers, les coquillages et les fossiles. Richard Abercrombie le sait, puisque c'est là qu'il s'est instruit, qu'il a sécrété ce bizarre squelette externe qu'on appelle une culture. Mais il sait aussi qu'un livre, le sien, manque à l'appel de son siècle. Nul homme en effet n'a encore voyagé dans l'idée de décrire le ciel, ceux qui ont levé la tête l'ont fait sur commande, pour retrouver la Grande Ourse, et leur chemin. Ou bien pour d'autres raisons tout aussi utilitaires. Ou bien encore, et aux yeux du professeur c'était encore pire, pour montrer, à partir de la description d'un coucher de soleil, une âme de poète sous la vareuse de l'explorateur, et charmer les dames. Nul homme n'est encore parti pour regarder l'infiniment changeant paysage des nuages, au-dessus de toutes les mers et de tous les monts, sous toutes les latitudes. Abercrombie sera cet homme-là. Un tel homme, voyagerait-il cent ans, rien ni personne ne semble pouvoir ou devoir le changer. Et, de fait, Richard Abercrombie, planté derrière sa forte moustache, sanglé dans ses costumes sur mesure de lin blanc, ne change guère, apparemment, jusqu'à son arrivée en Indonésie.

Jusqu'en Indonésie il ne se passe rien de spécial, Richard Abercrombie voyage comme tout le monde, il lui arrive des histoires de voyageurs au long cours, des histoires de tout le monde. À Bordeaux on lui vole une valise, des jumelles. Il essuie une tempête dans le golfe de Gascogne, à l'occasion de laquelle il note avec componction qu'il est à peine malade ; il fait une escale de huit heures à Lisbonne, où il goûte plusieurs vins ; certains sont acceptables ; au large du cap Blanc il s'étonne du froid, puisqu'on est en Afrique, il devrait faire chaud puisqu'il fait chaud en Afrique, il cherche des explications à ce phénomène curieux de la nature, il en trouve, il les donne au lecteur de « Mers et cieux sous de multiples latitudes », mais rien n'est sûr. Il passe au large de Gorée, sans y prêter

une spéciale attention, sinon qu'il trouve à ce rivage une ressemblance avec l'Espagne, qu'il
n'aime guère. Richard Abercrombie arrive bientôt
en vue du Cap, où il séjourne, il s'intéresse beaucoup aux diamants, il note comment on procède à
la taille, il achète une pierre brute de belle dimen-
sion, en souvenir, il recueille des vantardises de
chasseurs ; à Madagascar et à l'île Maurice il
constate combien le climat est malsain, les malheureux morts, trop nombreux pour être enterrés sans
délai, dégagent une puanteur effroyable ; il
compare la végétation de Maurice à celle des Fidji.
Il visite des sucreries, il trouve les travailleurs sales
et malhonnêtes, mais les bananes savoureuses.
Dans l'océan Indien il s'exerce à prévoir les modifications du temps, avec un certain succès. En janvier 1890, il pénètre dans la baie d'Adélaïde, en
Australie ; sans égard pour le patriotisme local, il
affirme que la baie de Janeiro au Brésil la surpasse
en majesté, sans contestation possible. Il remonte
vers Ceylan ; il assiste à une récolte de thé ; il
pousse jusqu'à Madras ; une expédition à terre le
mène sur la chaîne des monts Himalaya ; il achète
un moulin à prières ; il compare ces montagnes
avec les Alpes suisses. En mars il visite l'archipel
d'Indonésie, il mange des nids d'hirondelles, il relève qu'on en distingue trois qualités : le nid noir
est de qualité inférieure et ne se vend que cinq shil-
lings la livre à Hong Kong ; le nid blanc est le plus
recherché, il ne contient ni plumes ni déchets, seulement la salive blanche et coagulée de l'hiron-
delle : il en coûte à l'amateur dix livres ; le rouge est
un type intermédiaire. On lui propose de goûter les

trois variétés, accommodées en soupe ; il accepte d'essayer la variété blanche. Ensuite Richard Abercrombie, en compagnie de quelques indigènes, va pêcher des trépangs. Ce sont de longues et noires limaces de mer ; il suffit de plonger, de les ramasser au fond ; on les ouvre sur toute la longueur pour en nettoyer l'intérieur ; on les sèche au soleil ; Abercrombie en mange, avec de fines tranches de bœuf ; il leur trouve une saveur hésitant entre la crête de coq et la langue de bœuf ; en tout cas c'est excellent ; il en reprend plusieurs fois, indifférent aux gloussements des indigènes qui le servent : le trépang passe pour un soutien des virilités défaillantes.

Enfin, en avril 1890, Richard Abercrombie atteint le royaume de Sarawak, au nord-ouest de l'île de Bornéo. C'est la seule fois où Abercrombie tient un journal entièrement rédigé, dans son grand classeur vert bouteille ; c'est du moins le seul qu'il ait conservé. Il écrit comme dans ses livres, sèchement, proprement. Et c'est là que tout va basculer.

Dans les deux premières semaines d'avril 1890, Richard Abercrombie a quasiment pris pension au consulat britannique du royaume de Sarawak. Le consul Jones est un admirable professionnel : trente ans de carrière diplomatique en Extrême-Orient, jamais un impair vis-à-vis d'un prince local, jamais un faux pas dans un plan de table, pas la plus petite erreur protocolaire. C'est un petit homme rond, élégant et vain comme un bibelot, et qui, armé d'une batterie de cinquante citations littéraires bien choisies, adaptées à toutes les circonstances de la vie consulaire, a roulé de sinécure en sinécure, en évitant soigneusement les postes trop délicats. Pour le reste, le consul Jones a toujours veillé à l'essentiel : on dîne parfaitement à sa table ; on fume dans son salon des cigares admirablement protégés des excès de l'humidité ambiante. Le consul Jones guigne depuis douze ans un poste à Bali ; il mourra l'année suivante, d'un arrêt du cœur, pendant son sommeil, sans avoir jamais été effleuré par l'évidence de son propre néant. Sa femme lui en voudra longtemps de cette mort intempestive et, de plus, vulgaire : son cœur aura cessé de battre vers les dix heures du soir, mais sa femme n'entrera dans sa chambre que le lendemain matin à huit heures, de sorte que le cadavre se sera vidé dans les draps, dans une puanteur qui poursuivra sa veuve dans ses cauchemars jusqu'à son remariage, deux ans plus tard. Pour l'instant le consul Jones n'est pas mort, et il tient table ouverte. Quand Richard Abercrombie met le pied, le 2 avril 1890, sur le quai du port de Sandakan, le consul Jones est là pour l'accueillir, empressé, avide.

En débarquant, Richard Abercrombie a immédiatement accepté l'invitation du consul. Pourtant, Richard Abercrombie est passé expert en l'art subtil d'esquiver les invitations, prétextant ici un refroidissement, là une excursion imprévue, ailleurs une quarantaine mystérieuse, voire un insurmontable accès de mélancolie. Quand il débarque à Sandakan, en Indonésie, sa réputation de misanthrope affairé à une mission météorologique et mystérieuse, voire secrète, dans un domaine nouveau mais déjà perçu, dans ce milieu de grands voyageurs, comme digne d'intérêt, l'a précédé ; dans ce monde colonial tout bruissant de conversations vaines, le silence d'Abercrombie est assourdissant. Simplement, il éprouve maintenant le besoin de faire un bilan des mois écoulés depuis son départ de Dartmouth. Car Richard Abercrombie s'étonne lui-même ; loin de l'univers confiné des sociétés savantes, des conférences et des bibliothèques, il parvient de moins en moins à s'intéresser à sa mission ; il continue comme un vaisseau lancé sur son erre ; mais il ne possède plus d'élan propre. Alors il se dit qu'il est temps, peut-être, de renouer avec la société. Il se trouve maintenant sur un quai bruyant, quelqu'un lui parle depuis plusieurs minutes et Abercrombie émet, de loin en loin, des murmures approbateurs, des mimiques qui n'engagent à rien ; ce petit homme gras et élégant lui parle avec animation, et finit par l'inviter à un dîner très simple. Abercrombie accepte, empoche la carte du consul qui rougit de plaisir, comme une rosière, et, s'enfuyant avant que cet homme austère et farouche change d'avis, il court annoncer sa victoire à son épouse. Abercrombie loue une sorte de pousse-pousse qui l'emmène à son hôtel. Là, renversé dans un bain frais, il ne pense à rien ; depuis des mois il a roulé à travers les terres et les nations, comme un caillou ; et, peu à peu, Richard Abercrombie s'est tout simplement poli. Il a vu tant d'hommes et tant de femmes et tant d'enfants différents ; les usages les plus surprenants, les coutumes les plus déconcertantes, les goûts les plus saugrenus ; mais surtout il a entrevu, derrière la pittoresque diversité des cultures, autre chose de plus profond, quelque chose d'humain encore, mais qui n'est pas la simple hypostase de l'*Homo britannicus*, ou même de l'Homme Civilisé, ni même de l'Homme tout court. Il a touché, comme à tâtons, le noyau minuscule et indestructible de l'humanité.

Le dîner où se rend Abercrombie, le soir même, est particulièrement représentatif de la vie des colonies : tous les pantins et tous les ratés du monde occidental se sont donné rendez-vous à la table du consul Jones. Les colonies sont les égouts de leurs métropoles. Contre toute attente, Richard Abercrombie passe une excellente soirée ; la lie des colonies ne lui est pas plus ou pas moins sympathique que les aborigènes australiens qui l'honoraient en lui récitant la liste interminable de leurs ancêtres et collatéraux ; pas plus et pas moins que les paysans mongols qui lui servaient du lait tourné et une sorte de ragoût déconcertant, mais véritablement délicieux. La tablée comprend naturellement les amateurs de chasse qui complètent la faune consulaire dans toutes les régions tropicales du monde. À la table de Jones, ils sont deux : James Alfred Crooks est un géant blond et rose ; on murmure qu'il a endeuillé, là-bas dans le Wisconsin, une famille importante dans une rixe d'ivrognes en conséquence de quoi il n'a pu rester aux Amériques ; c'est ce qu'explique à Richard Abercrombie sa voisine de table, d'une voix suintante d'excitation retenue. Le meilleur ami de Crooks est le Gallois Benjamin Walker, ce petit homme rondouillard assis en face de lui : son teint rosâtre comme un jambon et ses bajoues pendantes témoignent de la constance de son appétit. Le second est aussi disert que le premier est taciturne. Cette association pittoresque leur vaut d'être invités aux meilleures tables de l'Asie du Sud-Est ; ils ont toujours au dessert une anecdote à conter, qui fera pousser des cris aux dames et sourire les messieurs. Au reste, des chasseurs redoutables, que l'on consulte lorsqu'il s'agit d'organiser une battue contre un tigre, ou une chasse d'opérette pour un haut fonctionnaire de l'Empire britannique en tournée d'inspection.

On peut compter sur Walker et Crooks pour honorer le contrat tacite qui leur vaut un repas gratuit. Ils sont venus ce soir-là avec un lot d'anecdotes piquantes et colorées, presque inédites, et Benjamin Walker débite avec faconde les histoires de l'éléphante qui venge son petit, de son ami Alfred contre les assauts de l'alligator géant, et de l'oiseau si beau que lui, Benjamin Thomas Paul Walker, n'a même pas pu tirer ; James Alfred Crooks soutient l'orateur, son ami, par de graves hochements de tête, et des grognements d'approbation variés. Comme Abercrombie confesse n'être guère attiré par la chasse et que, dans le même temps, il admet poliment ne l'avoir guère pratiquée, en un tournemain une partie est montée. Quand le café et les liqueurs sont servis au salon, sous les yeux humides de Jones qui tient ce dîner pour une réussite si remarquable qu'il en est presque attendri, Walker et Crooks continuent leur numéro, entourant Abercrombie de leurs recommandations et de leurs promesses, sous l'œil humide des dames : on peut espérer tuer une sorte de pécari local, au poil court et fauve, qui charge parfois son assaillant ; des oiseaux de paradis qu'il est difficile de naturaliser, car tout se décompose tellement vite dans les sous-bois, des sortes de cerfs et leurs biches, si la chance leur sourit. Abercrombie demande si l'on rencontre des tigres dans cette jungle-là. Walker et Crooks rient très fort, le consul Jones rit très fort, les dames demandent des explications : il n'y a jamais eu de tigres sur l'île de Bornéo, affirme Crooks, et il n'y en aura jamais, à moins qu'ils ne viennent à la nage de Chine. C'est sur cette plaisanterie désopilante que Mme la Consule signale la fin des conversations d'hommes en se dirigeant vers les tables de jeu.

Au fumoir, Richard Abercrombie s'emporte jusqu'à expliquer les plus croustillants développements de la théorie météorologique à un consul effaré de tant de complications. On sort sur une terrasse, afin de prendre le frais ; en contrebas flotte, juste au-dessus de la ligne des bâtiments de l'administration des douanes, un nuage longiligne et isolé. Richard Abercrombie se surprend à s'interroger sur le classement qu'il conviendrait de lui réserver ; par son altitude il se rattache à un type, par sa forme à un autre ; faut-il proposer un groupe des nuages de nuit, comme le suggérait en 1885 l'Espagnol Figueroa, durant le congrès de Rome ? Certainement il a eu raison de renouer avec les usages communs des hommes ; il va retrouver, il en est certain, ce goût de l'investigation scientifique qui lui a fait de plus en plus cruellement défaut, à mesure qu'il s'éloignait de l'Angleterre. Richard Abercrombie prend congé de tous et retourne à pied, à pas lents, vers le port et vers son hôtel. Derrière lui le consul Jones est félicité par son épouse, qui vient même le saluer dans sa chambre, ce qui n'est pas arrivé depuis longtemps. Les Jones ont *eu* Abercrombie ; dans leur milieu raréfié, cela peut représenter un levier de promotion vers un consulat moins taré que ce port industriel qui charge à longueur d'année des billes de bois à peine précieux, que ce trou perdu et insensé dans lequel, par désœuvrement, le consul Jones passe ses nuits au bordel pour ne pas mourir d'ennui.

Richard Abercrombie rentre seul, la nuit ; cette promenade avive encore sa flamme nuageuse ; il lève les yeux vers le ciel et constate, non sans mélancolie, que d'autres nuages qu'il n'a jamais vus se sont accumulés au-dessus de lui. Il fait un rêve étrange : le dernier nuage du monde, immense et noir, le suit à travers un désert de sable, silencieux comme un reproche. Il n'y prête guère attention. Il croit vraiment que tout est redevenu comme avant.

TROISIÈME PARTIE

Le Protocole Abercrombie

> Chose assez curieuse, il ne m'arriva pas
> une seule fois, devant ces magies liquides ou
> aériennes, de me plaindre de l'absence de
> l'homme.
>
> BAUDELAIRE

Le 17 avril 1890, comme convenu au dîner du consul Jones, une vedette emporte trois chasseurs blancs et leurs serviteurs indigènes vers la jungle du nord-ouest de l'île de Bornéo. La vedette semble vétuste, mais c'est le meilleur navire de la région, et elle tient admirablement la mer ; elle doit sa vieillesse apparente aux attaques inlassables du climat tropical. À la barre Benjamin Walker la fait filer le long d'une côte presque rectiligne, sur une mer légèrement écumeuse, mais noire, et qui semble presque morte ; très rapidement, presque au sortir du port, les habitations des hommes blancs se sont clairsemées. Puis sont apparues quelques cahutes indigènes, avec leurs guirlandes d'enfants indistincts, de vieillards figés sur des bancs ; et bientôt il n'y a plus aucun signe de vie humaine. Seulement, à vingt minutes de la ville portuaire, un ponton à demi effondré, un corps de bâtiment à deviner sous la verdure. James Crooks a fait ralentir la vedette et vient s'asseoir à l'avant, près d'Abercrombie qui dessine vaguement, et lui explique ces ruines. Ce sont les concessions d'hévéa abandonnées l'an dernier ; le propriétaire s'est pendu ; en moins de quinze jours, à la première saison des pluies, la concession a été dévorée par la jungle ; l'an prochain il sera impossible d'en retrouver l'emplacement. Crooks pointe du doigt, pour son invité, l'endroit où se trouvait l'atelier des machines, les dortoirs des employés, toute une organisation humaine, rationnelle, moderne ; Richard Abercrombie ne voit rien : sans fin pour lui ce sont des myriades de palétuviers, muets comme des piquets, d'un gris indéfini, lugubre.

Un peu plus loin encore, Walker montre du doigt un point sur la ligne sombre et monotone des troncs, et annonce le fleuve Sapu Gaya. De nouveau Abercrombie écarquille les yeux sans succès, il ne voit rien qui brise l'uniformité des lieux ; par une habitude de politesse, il dissimule sa déception de touriste, mais il trouve décidément que la jungle est affreusement maussade, tout en reconnaissant qu'elle ressemble aux descriptions des voyageurs ; il s'aperçoit simplement que c'est une chose de lire, enfant, que les forêts tropicales sont impénétrables ; et que c'en est une autre de s'user la vue sur un rideau grisâtre d'arbres inconnus, dans une odeur écœurante d'iode chaud et de vase putréfiée. Ce n'est qu'au tout dernier moment, lorsque la vedette vire vers la côte, que Richard Abercrombie aperçoit une échancrure dans le rideau des arbres, l'estuaire du fleuve Sapu Gaya est là, et déjà Crooks y engage sans hésiter leur navire. Bientôt il faut choisir un mouillage, faute de fond ; le cours de l'eau est si lent qu'elle semble stagnante, la vase remuée par leur sillage éclate en bulles lourdes et lentes.

Le léger canot de six places où les trois Blancs embarquent maintenant est d'un maniement aisé : en trois quarts d'heure les deux porteurs indigènes, qui font aussi office de rameurs, vont le mener jusqu'au bout d'un bras de fleuve, encombré de loin en loin par de gros troncs effondrés. La remontée s'effectue dans une atmosphère étrange : le canot, flambant neuf, semble déplacé dans ce paysage presque préhistorique. On entend le cri discordant des paons, différentes sortes de sauterelles et de criquets que Walker se plaît à nommer en latin et dans la langue indigène, le cri du grand calao qui ne ressemble à rien, le bourdonnement lancinant des mouches, la stridence sourde des moustiques, le grouillement indéfini des eaux noires. Pour la première fois de sa vie, Richard Abercrombie est confronté au vacarme obscène de la nature sous sa forme la plus grandiose et la plus véhémente : une jungle. Ce n'est pas tant le vacarme en soi qui l'abasourdit, mais, au sein de ce tohu-bohu, l'absence totale de sonorité humaine. La jungle bruit selon ses propres lois, insoucieuse des hommes qui croient l'explorer. Dans les forêts où l'homme vient régulièrement chasser, à proximité des villes, dans toute l'Europe et particulièrement en Angleterre, les animaux ont depuis longtemps appris à se taire à l'approche de l'homme, à le fuir comme le prédateur suprême : cette créature qui tue contre nature, sans que la nécessité de survivre l'y force. Le silence apaisant de nos campagnes n'est que le signe tangible de la terreur que l'homme y fait régner.

La remontée du bras du fleuve Sapu Gaya se fait de plus en plus difficile ; les fonds vaseux se rapprochent de la surface et désormais le passage du canot laisse une traînée d'eau boueuse, lourde comme un cauchemar ; il faut aussi maintenant tailler un chemin dans la végétation qui resserre ses bras au-dessus du fleuve. On finit par se faufiler dans une sorte d'anse de sable, sur un bassin d'une étonnante transparence, à l'écart des courants limoneux, contre un arbre formidable récemment foudroyé. James Crooks décide que c'est là que l'on mettra pied à terre. Les trois hommes pénètrent dans la jungle, derrière les indigènes qui leur taillent un passage. Il y a, à une demi-heure d'ici, explique James Crooks en soufflant comme un bœuf, un ensemble de clairières où ils seront à leur aise pour chasser. Richard Abercrombie, depuis qu'il a quitté l'anse de sable, éprouve une nouvelle déception. Voir de près la forêt vierge, pensait-il à bord du canot, voilà ce qui lui manquait ; maintenant qu'il marche dedans, avec une lenteur désespérante, en trébuchant sur des branches pourries, il en grince les dents de dépit. D'abord il n'y a rien à voir. Sur un sol inégal, ils progressent dans une pénombre presque complète, poisseuse, informe, dans une flore mal identifiable, au milieu des cris d'animaux qui s'obstinent à rester invisibles. Si le soleil brille, c'est seulement trente mètres plus haut, au-delà de ce maquis aérien, de ce lacis de branches et de lianes où toute la faune de Bornéo, hormis quelques batraciens répugnants, semble avoir élu domicile. Et c'est là une seconde déception, plus cuisante encore que celle du paysage : le sol qu'ils foulent est un véritable désert. On ne voit pas à trois mètres dans cet écheveau de branches dans lequel il faut tailler à chaque pas ; trois fois déjà l'un de ses obligeants guides a prestement tendu un doigt, vers une rare trouée de lumière, pour lui montrer quelque spécimen remarquable dont il n'a rien vu. Avec la franchise habituelle à son peuple, le chasseur américain aiguise encore sa déception, en évoquant tout ce qu'ils manquent en restant au niveau de la mer. Le niveau supérieur de la jungle indonésienne est aussi splendide que l'inférieur est terne. Ils arpentent le premier. À cent pieds au-dessus de leurs têtes, au sommet des arbres, s'étend un épais manteau sur lequel l'homme pourrait marcher comme sur une mer. Là-haut vivent tous les singes et les grands serpents, parmi les orchidées et les papillons, les mangues et les durians gorgés de soleil. Il serait possible d'ailleurs d'y monter ; mais se tailler un chemin de trente mètres à la verticale supposerait une excursion de plusieurs jours, une équipe d'indigènes chevronnés, tout un équipement de grimpeur pour assurer ses prises, sur le faîte des arbres : ce sera pour une autre fois.

Au bout de vingt minutes de cette marche pénible, on arrive enfin quelque part : brusquement la petite compagnie s'est extirpée d'un dernier fourré et s'est avancée dans une longue clairière. Il faut quelques instants aux yeux d'Abercrombie pour s'adapter. Ici la lumière solaire règne en maîtresse, et la clairière forme une sorte

d'amphithéâtre de verdure, étiré en ellipse, au fond
duquel coule un ruisseau transparent. De longues
herbes vertes couvrent les pentes douces qui mènent au ruisseau et caressent leurs avant-bras. Richard Abercrombie s'avance vers un buisson de
fleurs, mais il s'éparpille dans les airs : ce sont de
petits papillons bleus. Étouffés par l'épaisseur du
sous-bois, les cris des animaux semblent s'être
éloignés. Un oiseau au corps ramassé, au plumage
de feu, s'envole paresseusement à sa droite, inno-
cent, sans peur ; le docteur Walker, qui s'est re-
tourné, encourage Abercrombie du geste. Abercrombie ne bouge pas. Avec une élégance et une
prestesse redoutables, Crooks a relevé le canon de
son fusil, qu'il portait jusque-là cassé sur son bras
droit ; il referme l'arme et du même geste épaule et
tire, sans paraître viser. L'oiseau est à quinze
mètres devant eux, il est sur le point d'atteindre
une frondaison. Dans l'ignorance du gibier que
l'on rencontrerait, il a été décidé de charger tous les
fusils à balle. Crooks fait mouche, apparemment
au centre de sa cible : l'oiseau roux explose en vol,
dans une gerbe fugace de plumes et de lambeaux
sanguinolents. La détonation a déchiré le vacarme
de la jungle environnante et, pendant un instant,
un silence règne, irréel. Abercrombie n'a toujours
pas bougé, il regarde danser les dernières plumes,
puis toute la beauté du lieu revient d'un coup ; on
pourrait presque croire qu'il ne s'est rien passé ;
mais une honte immense commence à l'envahir.
Crooks parle fort et sans suite, en rechargeant son
fusil. Walker, qui s'est avancé en éclaireur à l'autre
extrémité de la clairière, revient sur ses pas.

Richard Abercrombie est trempé de sueur, il a l'impression de s'être battu pendant des heures. Crooks remarque sa pâleur : le professeur souhaite-t-il se rafraîchir près du ruisseau, pendant que le reste de la compagnie ira reconnaître une autre clairière, un peu plus loin, que les indigènes vantent comme un affût parfait pour le gros gibier ? Le professeur Abercrombie accepte cette proposition. En quelques minutes, les indigènes ont taillé des sortes de fougères veinées de mauve, pour lui confectionner une litière primitive, mais confortable, pourvue d'un auvent incliné. Le soleil est presque vertical. On recommande au professeur Abercrombie de tirer en l'air, en cas de besoin. Un indigène lui présente quelques tranches de fruits rafraîchissants. Puis tout le monde s'éloigne, dans un bruit de branchages bien vite résorbé par la forêt vierge. Après s'être sustenté, Richard Abercrombie s'allonge pour quelques instants ; il regarde le ciel, qui ne comporte aucun nuage. Parfois il se redresse sur un coude et contemple la prairie, les étincelles sur le ruisseau, les danses imprévisibles des moucherons dans la lumière. L'endroit est si beau qu'on pourrait y mourir en paix. Richard Abercrombie ne pense à rien ; il est presque heureux.

Paresseusement, du temps s'est écoulé dans la clairière. Richard Abercrombie s'est vite endormi, sans une arrière-pensée, comme un enfant. Il est impossible qu'un endroit si beau recèle le moindre danger. Il dort. Peu à peu une sensation étrange le ramène vers un sommeil léger, puis l'éveille. Sans ouvrir les yeux, il sent que le soleil a légèrement tourné : il sent sa morsure joyeuse sur son bras droit, alangui sur l'herbe. Il garde encore un peu les yeux fermés, par gourmandise, goûtant par avance le plaisir de les ouvrir encore une fois sur la bouleversante fiction d'un monde dont les hommes un instant se seraient absentés. Il ouvre les yeux ; les deux chasseurs et leurs aides l'ont installé avec prévenance à l'une des extrémités étroites de la trouée de verdure, à trois pas d'une vasque où l'eau du ruisseau traversant la clairière s'évase, sans mouvement apparent. La sensation étrange qui l'a éveillé se précise, se raffine maintenant : ce sont de petits fourmillements sur le cou, d'autres sur les jambes, sur les bras, des démangeaisons de plus en plus insistantes, de plus en plus précises, si bien qu'il finit par se relever sans hâte pour en déterminer la cause, plus curieux qu'inquiet.

Tout en promenant son regard sur la clairière, il se frotte machinalement la nuque, et sa main rencontre une surface visqueuse qu'en voyageur chevronné il identifie sans difficulté. C'est une sangsue. Les voyageurs des régions équatoriales connaissent bien ces parasites. Abercrombie sait qu'il ne saurait être question d'arracher ce parasite à son repas sanguinaire : il en résulterait une plaie infectieuse. D'une poche de sa veste de toile, il sort sa tabatière de voyage, un cylindre de métal chromé aplati, en extrait une pincée de tabac. En crachant, il mouille quelques brins au creux de sa main, qu'il frotte ensuite à l'aveuglette sur l'animal. La sangsue lâche prise, il l'écrase sur le sol mou, autant qu'il est possible. Mais il n'est pas tiré d'affaire encore. Sous la toile fine de son pantalon de lin blanc, de petites éminences noires se tortillent lentement. Ses jambes sont couvertes de sangsues. Dans l'herbe tendre comme un pastel, d'autres créatures rampent vers lui, vers cette énorme source de sang chaud. Pour être sûr de n'en oublier aucune, Abercrombie se dévêt entièrement. Tout son tabac y passe. Ensuite il va se réfugier sur un grand rocher plat qui s'enfonce, obliquement, dans la vasque d'eau claire, et dont la disposition interdit aux sangsues de l'atteindre ; le basalte noir est chaud sous ses pieds. Abercrombie passe précautionneusement ses doigts sur son dos, au prix de multiples contorsions il s'assure qu'il est vierge de tout parasite. Il se surprend à sourire à l'idée du spectacle qu'il pourrait donner à ses compagnons d'équipée. Puis il inspecte toutes les pièces de son habillement, et les étale soigneusement sur la roche, afin de les sécher. Lui-même reste de longues minutes accroupi, frissonnant aux variations infimes du vent sur sa peau nue. À un moment donné il relève la tête et s'aperçoit qu'il n'est pas seul au bord de l'eau.

De l'autre côté du bassin naturel, un être vivant le regarde. C'est un grand singe. Par bouffées le vent léger pousse l'odeur musquée de l'animal contre le visage d'Abercrombie, comme une haleine sauvage. Il ne ressent aucune peur ; il ne pense pas à son fusil. L'être qui, de l'autre côté du ruisseau, le regarde est un Mias Pappan, comme disent les indigènes, un spécimen de la variété la plus grande des orangs-outans. Il ne bouge pas plus que son vis-à-vis. Richard Abercrombie se retient de sourire, parce qu'il croit se souvenir que, pour beaucoup d'espèces animales, cela revient à leur montrer les dents, et donc à les menacer. Il s'agit d'une femelle adulte. Abercrombie aperçoit, accroché à son cou, enveloppé dans les longs poils du torse, un petit au visage fripé, qui dort la bouche ouverte. La femelle regarde l'homme avec sérieux, avec application ; ses mains sont posées au bord de la mare, devant elle, à deux mètres à peine de lui. Ses yeux sont enfoncés dans leurs orbites, au-dessus de deux callosités noires, qui forment comme des pommettes grossièrement taillées ; sa face est couturée de cicatrices. Abercrombie d'abord soutient son regard, mais très vite il doit cesser, car ce n'est pas véritablement un regard, c'est quelque chose qui est dirigé vers vous mais qui vous traverse : le singe le regarde comme on regarde un singe. Et, dans ce regard de bête qui n'a jamais croisé celui d'un homme, il n'y a absolument rien de sauvage.

Bien plus tard, quand Richard Abercrombie n'arrivera plus à juger ses contemporains, quand il ne parviendra plus à lire le journal, plus à travailler dans le but de travailler, plus à discuter, quand il ne sera plus un homme de science comme on l'entend dans son pays natal, et qu'il se demandera comment il en est arrivé là, et qu'il cherchera dans son passé de quoi rendre compte de sa métamorphose, il sera irrésistiblement ramené à cet instant dans la clairière, mais ce sera sans savoir pourquoi, ce sera sans comprendre, et sans vraiment regretter de n'y comprendre rien.

Pour l'instant, dans les quelques secondes que dure le face-à-face, Richard Abercrombie réfléchit à la vitesse de la lumière. Il repense aux aborigènes qu'il a photographiés dans la région de Perth, au sud-ouest de l'Australie, parce qu'un savant collègue et honorable correspondant de la Royal Society s'était offert pour lui montrer les curiosités de la région, parmi lesquelles un couple d'indigènes qu'il avait recueilli par charité et par intérêt scientifique. C'étaient les derniers survivants d'une tribu d'agriculteurs sédentaires que l'urbanisation de Perth avait poussée, depuis des lustres, vers le désert absolu, et qu'une épidémie de variole avait soufflée comme une bougie. Richard Abercrombie s'était assis avec eux, sur un tronc creusé, dans l'arrière-cour de l'honorable correspondant. Pendant que la femme sarclait un champ étique, l'homme avait chanté pour son hôte. Abercrombie les avait pris en photographie ; au dos du cliché il avait cru pouvoir noter l'évidente ressemblance du couple avec des primates encore moins évolués ; et maintenant Richard se souvient de cet homme et de cette femme, il se souvient de leur hospitalité, et il rougit violemment.

Enfin le temps reprend son cours, et il semble à Richard Abercrombie que la jungle s'est remise brusquement à bruire, au loin. L'orang-outan esquisse un mouvement indéterminé, mais elle l'interrompt parce qu'elle est en train de mourir. Son œil droit a semblé affecté d'un tic, puis il a paru se couvrir d'une taie noire. L'œil vient en fait d'éclater et, une seconde plus tard, le bruit de la détonation parvient aux oreilles de Richard Abercrombie. L'animal tombe à genoux, sans manifester la moindre réaction, sans le moindre cri. La seconde balle pénètre dans la bouche entrouverte de l'animal, et rejette sa tête en avant, et c'est toujours en silence que l'animal tombe dans l'herbe, sur le flanc gauche ; ensuite le petit affolé par la mort de sa mère se met à hurler, et des centaines d'animaux invisibles et indistincts lui répondent.

Lorsque Abercrombie se retourne lentement vers la source des tirs, il s'aperçoit que James Crooks a appuyé son arme, pour réaliser cet exploit, sur la fourche basse d'un tronc, à plus de cent mètres de sa cible ; puis il s'avance en plein soleil, sans hâte, le fusil cassé sur le bras, du pas sûr du chasseur qui sait qu'il a fait mouche ; la lunette de son fusil jette de temps en temps des éclats de lumière violents. Il est à ses côtés maintenant ; il attend visiblement des compliments, qui ne viennent pas. Mais il en faut davantage pour le démonter. Sans se rembrunir il tend son fusil à son invité et s'avance pour traverser le ruisseau en direction de la masse informe de fourrure orange qu'un petit singe s'efforce en vain de tirer de son immobilité. D'abord le nourrisson a secoué le sein de sa mère, puis il a tiré sur ses poils. Bientôt il va cesser de crier et de s'agiter, prostré. Richard Abercrombie n'a pas la force de se tourner à nouveau vers ce cadavre qui n'en finit pas de s'alourdir dans l'herbe, vers ce corps qui perd lentement sa chaleur, qui perd l'inimitable souplesse du vivant. James Crooks se penche vers la femelle morte et frotte ses mains et ses bras dans sa fourrure, s'imprègne soigneusement de son odeur. Puis il tend les bras au petit qui s'est réfugié derrière le cadavre. L'animal saute avec confiance dans les bras du chasseur. On entend distinctement un petit craquement. Crooks pose le petit cadavre sur celui de sa mère. Il revient tranquillement vers Abercrombie ; il explique que de toutes les façons le petit n'avait pas, sans sa mère, plus de trois heures d'espérance de vie dans un milieu pareil. Abercrombie sait qu'il a raison. Puis Crooks, dans un accès de lucidité, se tait : il ne conte pas toutes les anecdotes pittoresques où des Mias Pappans terrassent des chasseurs, où ces fauves arrachent le bras d'un indigène, ou bien vengent vingt ans après la mort de l'un de leurs petits. Crooks se tait, peut-être désarçonné, et c'est probablement pourquoi Richard Abercrombie ne le tue pas.

Walker rejoint la clairière, attiré par les coups de fusil. Il ramène Abercrombie à des réalités prosaïques en lui tendant son caleçon, son pantalon de lin blanc. Abercrombie se rhabille. Les indigènes babillent comme des enfants et, pressentant de larges pourboires, ils félicitent chaudement les Blancs. Alors commence, pour Crooks et Walker, la meilleure partie de la chasse : son récit. Crooks raconte la scène à Walker, Walker demande des précisions, Crooks fournit celles qu'il peut, en devine d'autres, invente le reste. Walker félicite Crooks. Ensuite Crooks et Walker se tournent vers Abercrombie, qui s'est rhabillé de pied en cap. Il doit à son tour entrer dans la danse, préciser les circonstances exactes, tout raconter, son assoupissement, les sangsues, le face-à-face. Il raconte tout, mécaniquement. Sur l'épais et poisseux vernis d'homme civilisé de Richard Abercrombie, une longue fêlure vient d'apparaître. Pour l'instant il choisit de minimiser la chose, il ne fait pas de gestes brusques, de peur de s'effondrer définitivement. Au bout de vingt minutes il n'est pas loin de trouver, comme ses deux compagnons, l'épisode tout entier assez cocasse. Le savant nu, le singe poilu : Crooks et Walker sont extatiques.

James Crooks propose que des photographies soient prises, pour éterniser l'événement. Le journal local ne manquera pas de les publier. Abercrombie est prié de déballer tout son matériel. Tout en s'affairant autour de l'animal, Benjamin Walker mentalement jette les grandes lignes de son article pour l'*Indonesian Chronicle*, et peaufine déjà quelques formules bien senties. Abercrombie se repent maintenant d'avoir emporté son matériel de prise de vue. Le plus simple est d'accepter : résister à des imbéciles est épuisant, il n'est pas en état d'affronter pareille épreuve. Abercrombie prépare docilement son appareil, la plaque, le trépied. Pendant ce temps, Crooks, le couteau à la main, s'affaire, en habitué des tableaux de chasse ; il jette au loin le plus petit des deux cadavres, qui n'est guère présentable ; il disparaît dans les herbes mais une nuée sombre d'insectes prédateurs en signale la position, et Abercrombie s'efforce de ne pas regarder dans cette direction ; dans deux heures il ne restera de ce petit être que les os, les dents et les cartilages ; la nuit un charognard viendra, un agouti peut-être, qui brisera les petits os pour en sucer la moelle. Quant à la mère, Walker certifie que c'est une très belle pièce. Il l'a mesurée : un mètre trente de la tête aux talons ; des bras exceptionnellement forts, chez une espèce pourtant des plus puissantes sous ce rapport ; deux mètres cinquante d'envergure ; un poids de deux cents livres, environ. Comme il exerce aussi, à Sandakan, la fonction de croque-mort, et qu'il veut honorer son savant confrère, le docteur Walker prépare une petite mise en scène : avec un bout de liane il referme la mâchoire de la bête ; il nettoie les restes de l'œil qui ont coulé sur la pommette, remplit l'orbite vide avec quelques brindilles froissées pour lui redonner forme ; ensuite il lui brise les os des bras, à coups de crosse de fusil, afin de redonner la souplesse du naturel aux membres déjà raidis ; il redresse la bête, et plante derrière elle une sorte de tuteur qu'il est allé tailler en lisière de la forêt, et il assoit la prise devant ; deux branches fourchues habilement et discrètement disposées lui permettent de maintenir les bras. Il casse à coups de talon les phalanges des pieds de l'animal pour les fermer comme des poings. Enfin, le fauve paraît terrible, comme il convient à un fauve, et sa posture est d'un effet saisissant, particulièrement photogénique. Richard Abercrombie doit évidemment poser debout derrière l'orang-outan ; James Crooks trouve amusant de se placer agenouillé à droite de la bête, et de lui tenir le poignet comme on ferait à un enfant qu'on ausculte ou qu'on mène en promenade. Walker est préposé au premier cliché ; ensuite il vient poser, relayé par Crooks à la prise de vue. Enfin tout est fini. Abercrombie espère que les indigènes vont s'avancer, pour réclamer la dépouille de l'animal sacré au nom de leur culture, qu'ils vont effectuer un rite quelconque pour saluer la mort du grand singe. Mais aucun ne bouge : ils sont essentiellement végétariens, totalement acculturés et cette viande musculeuse, qui passe pour indigeste, est invendable.

Sur l'ordre du docteur, les indigènes, armés de longs couteaux recourbés tranchants comme des rasoirs, pèlent l'animal avec une rapidité et une agilité déconcertantes, en conservant les mains et les pieds de la bête attachés à la peau, après avoir allumé un feu près du cadavre. Le corps pelé, curieusement, saigne à peine. Ensuite ils éteignent le feu, et s'éloignent précipitamment de la dépouille. Alors c'est la curée : toutes sortes d'insectes, de petits rongeurs, volent, sautent, rampent vers la charogne rosâtre affalée sur l'herbe. Walker roule la peau sanglante du Mias Pappan, pour qu'elle garde assez de souplesse pour être naturalisable en ville, dans une saumure de sa composition, et dont il porte provision dans son havresac à chacune de ses sorties, vieille habitude de taxidermiste amateur. Il la brosse, après l'avoir rincée, puis la roule à nouveau dans la saumure. Il reste deux heures avant la chute du jour, il est temps de quitter la clairière. Au moment de s'enfoncer à nouveau dans l'obscurité de la jungle, Richard Abercrombie se retourne une dernière fois vers l'ovale de verdure ; il sent, à la périphérie de son champ de vision, les deux taches sombres qui marquent l'emplacement des cadavres.

On rebrousse chemin vers le canot. Le canot les ramène à la vedette, qui se balance, paresseuse et sale, dans les eaux jaunâtres du fleuve. En mer, à la lumière d'une lampe-tempête, Abercrombie feint de prendre des notes, à l'avant, afin qu'on ne lui adresse pas la parole ; il lui vient à l'idée d'adresser une prière au grand singe ; puis il rougit de cette idée saugrenue ; puis il prie néanmoins. Il vient à peine de terminer que la vedette vire dans les eaux calmes du port. Crooks propose que le trio se précipite chez le consul, car c'est l'heure de l'apéritif. Abercrombie parvient à les convaincre d'attendre : il va passer à son hôtel, développer quelques clichés qui soutiendront l'intérêt de leur récit ; chacun aura le temps de se rafraîchir avant le dîner auquel ils ont promis à Jones d'assister. On se donne rendez-vous dans le hall de l'hôtel, pour huit heures et demie. Walker et Crooks se hâtent : ils ont juste le temps de se changer.

À la demie de huit heures Walker et Crooks sont là, dans le hall de l'unique hôtel du port, dans leurs plus beaux habits de chasse. Ils pensent avec tendresse à leur grand ami Richard Abercrombie ; moitié parce qu'ils sont déjà saouls comme seuls les hommes des colonies savent l'être ; moitié parce qu'ils doivent à cet homme l'une des plus sensationnelles histoires de chasse de leurs longues carrières. À neuf heures Abercrombie n'est pas descendu, Crooks monte, d'un pas lourd de géant alcoolique, frapper à la porte de leur invité, sans succès. À l'accueil de l'hôtel ils finissent par apprendre que le client de la chambre 16 est parti pour le port plusieurs heures auparavant. En effet, à peine ont-ils tourné le coin de la rue qu'Abercrombie est monté dans sa chambre, a refermé ses bagages, a trouvé sur le port une jonque chinoise qui accepte de l'emmener de nuit vers le prochain port, à vingt kilomètres au sud de Sandakan. Quand Benjamin Walker et James Alfred Crooks s'avancent à grands pas sur le quai du port, un pêcheur malais leur montre du doigt un point rouge qui s'éloigne lentement vers le sud. Walker pleure surtout les photographies restées dans les bagages de ce sournois hypocrite. Crooks perd le seul témoin oculaire direct d'un tir d'exception. Mais les deux compères se hâtent d'un cœur léger vers le consulat britannique, une fois qu'ils ont compris que ce départ inopiné laisse le champ libre à leur imagination. Le dîner qui suit n'est pas un succès : c'est un triomphe. Dès le lendemain matin, qui est un dimanche, Crooks vient aider son ami à naturaliser le fauve ; debout, le monstre, le poing gauche refermé frappant sa poitrine, menace un assaillant imaginaire en montrant ses canines, la main droite levée semble prête à écraser l'adversaire. Enfin, un mois plus tard, le docteur Walker reçoit, sans un mot d'accompagnement, un tirage complet des photographies prises dans la clairière : l'*Indonesian Chronicle* accepte alors de publier le récit du tandem, avec un supplément de trois pages illustrées. La vie mondaine de Crooks et Walker atteint là son apogée. Abercrombie, lui, est loin.

Dans le journal laissé par Richard Abercrombie, explique Virginie Latour à Akira Kumo, figurent tous les détails factuels qu'elle vient d'évoquer ; seulement Abercrombie ne commente jamais rien, il n'évoque jamais ses sentiments, tout en conservant toutes les pièces de son voyage, même les plus dérisoires. Dans la liasse de papiers on trouve aussi des tickets de cabine, des fleurs séchées. Et bien entendu un tirage des photographies de la clairière. Virginie Latour tend les photographies à Akira. Il les saisit avec avidité. Elles sont toutes assez semblables. Ce sont des épreuves réalisées sur une sorte de carton fort, deux fois large comme la main ; les produits de fixation ont un peu bavé, et les contours des choses ont cet air éthéré que prennent les apparences quand elles ont traversé difficilement le temps. On a fait poser le singe en lisière de forêt, pour que les clichés aient le cachet d'une jungle authentique. L'arrière-plan est encombré des immenses racines d'arbres qu'on distingue à peine du tronc lui-même, et qui forment comme des arcs-boutants ; l'orang-outan semble regarder, de son œil unique, un point très loin en dehors du cadre de la photographie ; il a l'air mélancolique et surpris des innocents assassinés. Derrière lui deux hommes posent. Akira Kumo n'a aucun mal à savoir lequel est Richard Abercrombie : l'autre bombe le torse, il arbore la mine triomphante d'un boy-scout plein de santé, nourri au lait entier, au gruau de céréales et au sirop d'érable, le sourire tranquille d'une brute épanouie. À ses côtés Abercrombie paraît minuscule, presque oriental. Il perd ses cheveux et se coiffe en arrière comme ceux qui ne s'en soucient guère. Il tient son fusil par le bout du canon, comme un violon ; il regarde dans le vide ; une grosse moustache barre son visage, mais elle ne fait que le rendre plus fragile encore d'apparence. Le singe ressemble à un pirate borgne, capturé et réduit à l'esclavage ; Richard Abercrombie, à l'un de ses matelots.

Le soir tombe sur Paris ; Virginie Latour prend congé de son ami. Il reste encore un peu à rêver sur les photos. Mais très vite l'entourage le cerne bruyamment, comme tous les soirs depuis l'accident. On le descend dans sa chambre, des aides-soignantes le rasent, le lavent et le talquent comme un nourrisson. On le couche dans son lit frais, garni de coussins et de draps immaculés.

Après le 17 avril 1890, Richard Abercrombie n'a plus jamais pris de clichés de nuages. La jonque chinoise qu'il a louée l'a déposé, après des semaines et des semaines d'un cabotage fastidieux, à la pointe sud de l'île de Bornéo ; de là il embarque

sur un cargo commercial et six jours plus tard il est
à Bali. Ni les brins de tabac ni l'air marin n'ont arrangé, apparemment, l'état de sa peau attaquée par
les sangsues. Il est maintenant couvert de plaies
suppurantes qui lui rendent pénible le port de ses
vêtements. Et c'est donc presque nu, vêtu d'un
simple sarong, qu'il se rend un soir chez un rebou-
teux chinois qu'on lui a recommandé. Le traitement est long, ridiculement minutieux. Mais il va
se montrer efficace : le guérisseur lui remet cinq
pots d'un onguent blanchâtre avec lequel il doit se
faire masser, cinq soirs d'affilée, pendant une heure
exactement. Richard Abercrombie s'est installé
dans un hôtel médiocre, sur le port même, là où il
ne risquera pas de rencontrer des notables suscep-
tibles de le rabattre vers un dîner mondain, ou de
l'inviter à une pêche au gros. Toutes les races non
européennes semblent s'être donné rendez-vous
dans cet hôtel borgne que le propriétaire, mystérieusement, a baptisé Hôtel du Régent. L'Hôtel du
Régent est au cœur d'un quartier plein de res-
sources : on y trouve des pourvoyeurs de femmes,
des trafiquants d'opium, des vendeurs d'enfants,
des pilleurs de temples ; l'endroit qu'on indique à
Richard Abercrombie pour se faire masser est très
visiblement un bordel, mais les démangeaisons qui
le brûlent sont terribles, et il passe outre sa pudi-
bonderie. La maîtresse de maison le fait entrer
dans une chambre propre, uniquement meublée
d'un pot à eau et d'une natte double de fibres
de coco ; et bientôt une fille grasse et placide,
à la peau dorée et translucide, entre, et le chevauche doucement, en faisant lentement pénétrer

l'onguent cicatrisant dans la peau de ce client étrange qui tient à lui parler avec les vingt mots de javanais qu'il connaît. En 1891, Richard Abercrombie est âgé de quarante-neuf ans. Il est toujours vierge et il y a plus de trente ans qu'il ne s'est pas livré au plaisir solitaire. Et sans doute, si cette grosse fille avait risqué d'entrée de jeu un geste obscène sur lui, Richard Abercrombie se serait raidi dans sa chasteté et l'aurait congédiée. Mais la grosse fille a vu des clients autrement plus étranges dans sa déjà longue carrière. Elle a appris à ne s'étonner de rien, et possède une intuition incomparable dans les affaires de l'amour. Abercrombie bande avec un flegme remarquable, et sans avoir l'air d'y accorder une importance quelconque ; il ferme les yeux, allongé sur sa natte ; après avoir remonté de l'extrémité de son pied droit à son aine, elle masse donc son sexe, avant de redescendre sur sa jambe gauche ; ses mains sont si douces et si chaudes qu'Abercrombie ne s'aperçoit même pas, dans un premier temps, qu'elle les a remplacées par sa bouche.

Le lendemain soir à la même heure, le client à l'onguent revient ; il demande la même fille. On le fait attendre un peu ; il comprend, et paie davantage. Le rituel recommence, Abercrombie s'y abandonne, avec un détachement feint. Cette fois c'est son sexe, et non sa bouche, qui enveloppe le sien. Elle bouge lentement les muscles de son ventre, accroupie au-dessus de lui, et la vague de plaisir l'emporte immédiatement. Elle l'essuie, et finit son massage. Abercrombie laisse les trois derniers pots d'onguent à la maîtresse de maison, pour ne pas s'embarrasser, et retourne dormir à l'Hôtel du Régent.

Quand le dernier pot est vide, il n'y a plus sur son corps la moindre trace de la voracité des sangsues. Mais le soir d'après, et tous les soirs qui suivent pendant des mois, Richard Abercrombie revient s'allonger sur la natte ; il ne sait rien de l'amour qui se fait ; la grosse fille placide lui apprend. Abercrombie se prête à tout, et prend des notes.

À force de vivre au bordel, à force de passer ses journées couché dans sa chambre, à dormir et à rêver, il a perdu l'habitude de lever les yeux vers le ciel pour y observer les nuages. À Bali, la mousson approche. Il retourne une dernière fois voir la grosse fille. Pour la remercier il la rachète à son propriétaire, et lui annonce qu'elle est libre. Elle retourne dans son village, loin de Bali, pour mentir à sa famille et se marier enfin. Le dernier soir Richard Abercrombie est venu avec son appareil photographique, pour garder un souvenir de cette femme dont il n'a pas songé à demander le nom. Peut-être se méprend-elle sur ses intentions ; peut-être a-t-il réclamé cette pose. Toujours est-il qu'elle défait son pagne et s'allonge sur la natte, sur le dos, les jambes ouvertes, et d'une main elle écarte les lèvres de son sexe ; Richard Abercrombie prépare son appareil, et prend une photographie d'un genre nouveau pour lui.

Pendant toute la fin de l'été, Virginie Latour inventorie et commente le protocole Abercrombie pour le compte d'Akira Kumo. À partir du séjour à Bornéo, le Protocole s'éloigne définitivement de toutes les recommandations des services météorologiques internationaux ; Richard Abercrombie semble avoir voulu rattraper le temps perdu, dans le domaine inépuisable et monotone de l'amour charnel. En septembre il est en Papouasie ; au commencement de l'année 1892 on le retrouve en Nouvelle-Zélande ; il repasse par l'Australie ; il remonte ensuite vers les îles Tonga, en contournant l'Australie par l'est ; à Tonga aucune femme n'est disponible ; il se dirige alors vers le Japon. Et partout il photographie avec la même rigueur des ventres, des sexes et des fesses. Partout où il passe, il s'installe dans les plus grands ports ; et sur les quais, dans les quartiers à matelots, il ne lui faut pas longtemps pour repérer les meilleurs bordels ; il s'y installe à demeure. Là, Richard Abercrombie note tout ce qu'il fait, tout ce qu'on lui fait, et combien de fois ; sur ce point il n'a pas changé, il reste méticuleux et posé.

Virginie cherche ce qu'elle va bien pouvoir faire, après Akira Kumo. Ce n'est pas elle, c'est lui qui a soulevé la question ; il est entendu qu'il va se suicider à nouveau, et cette fois pour de bon, mais il a promis de l'épauler quoi qu'elle souhaite faire, avant de disparaître. Mais il est toujours plus facile de définir ce qu'elle ne veut pas faire, que ce qu'elle souhaite. Elle sait donc seulement qu'elle ne pourra plus retourner travailler à la bibliothèque.

D'abord c'est Richard Abercrombie Jr qui songe à une solution provisoire, mais lucrative. Il fait paraître, dans le bulletin de septembre de l'Organisation météorologique internationale, un long entretien où il révèle sans révéler la teneur du Protocole, l'existence de photographies, de dessins très particuliers. En quelques semaines l'héritier officiel du Protocole reçoit une dizaine de propositions d'éditeurs, venues du monde entier. Il finit par jeter son dévolu, en accord avec Virginie, sur une jeune maison d'édition de beaux livres scientifiques, installée dans le Massachusetts, et que finance depuis cinq ans un célèbre et puissant laboratoire pharmaceutique. À la fin du mois d'octobre 2005, Richard et Virginie signent un double contrat. D'une part, Virginie Latour préparera l'établissement d'une édition de luxe du protocole Abercrombie ; et, en coédition avec un éditeur anglais généraliste, elle publiera une biographie autorisée de Richard Abercrombie, en s'appuyant largement sur l'œuvre inédite.

Ensuite Akira Kumo rassemble ses forces et produit un gros effort : il décroche un téléphone, il appelle le directeur de la bibliothèque qui employait Virginie. Une demi-heure après le directeur sonne, frémissant d'impatience, à la porte de l'hôtel particulier de la rue Lamarck, où il n'a jamais été reçu. Le couturier l'accueille dans son plus beau bureau, au premier étage, et va droit au but. Les archives personnelles d'Akira Kumo, qui lui coûtent si cher à stocker, pourraient être données à une institution qui les administrerait. Un tel fonds serait d'une richesse considérable, puisqu'on y trouverait tous les carnets de croquis du couturier, mais aussi des bâtis de robe, sa correspondance avec ses plus célèbres clientes et clients, des cadeaux de confrères et d'artistes. Des universités, au Texas, au Japon, ont depuis longtemps proposé leurs services au couturier, mais il les a toujours refusés, souhaitant que ces archives profitent au pays qui a su l'accueillir si chaleureusement. Le directeur de la bibliothèque serait-il intéressé à diriger une Fondation de haute couture, qui comprendrait la gestion du Fonds Kumo et l'administration de diverses aides à la création pour la jeunesse ? Le directeur de la bibliothèque le serait. Alors tout va bien. Il peut descendre régler les détails, avec l'entourage. Le directeur est émerveillé, reconnaissant et ravi, mais il attend la suite, car il y a toujours une suite. Le couturier le retient un instant sur le seuil de son bureau. Le couturier profite de l'occasion pour remercier le directeur, car Virginie Latour a été une assistante remarquable. Le directeur déclare qu'il n'est pas surpris. Virginie Latour s'est montrée, à la grande surprise d'Akira Kumo, d'une érudition et d'une pertinence extraordinaires dans le domaine de la littérature météorologique. Au point qu'il est permis de se demander si cette expertise est exploitée comme elle le devrait au niveau moins quatre du service des inventaires de la bibliothèque. Akira Kumo se demande également s'il n'est pas possible de remédier à cette situation. Il souhaite être informé personnellement de l'évolution de ces deux dossiers : le cas de Mlle Latour ; le sort de ses petits papiers personnels. Le directeur comprend parfaitement. Le directeur promet. Puis il se précipite au rez-de-chaussée pour parler de sa future Fondation.

Quand elle n'est pas rue Lamarck, Virginie Latour réside à Londres, chez le fils Abercrombie. Elle prépare la biographie de Richard Abercrombie. Disposant d'argent en quantité suffisante sans être excessive, ayant régulièrement des activités érotiques tout à fait satisfaisantes pour elle, elle dispose d'une plus grande partie de son énergie spirituelle. Virginie Latour peut donc se consacrer à la plus haute des activités humaines : elle travaille. Il y a une joie de l'obstacle surmonté ; il y a un plaisir à comprendre. Il y a des fatigues délicieuses. Le matin, elle établit une description raisonnée du protocole Abercrombie ; l'après-midi, elle construit patiemment l'architecture de la biographie du maître des nuages. C'est le titre provisoire, ridicule et alléchant, suggéré par l'éditeur. Le maître des nuages. Mieux vaut entendre ça que d'être sourd.

La célébrité désormais scabreuse du protocole Abercrombie a depuis longtemps dépassé le cercle étroit des spécialistes des nuages. On annonce une vente possible de l'original, pour l'année prochaine ; elle coïnciderait avec la publication de l'édition fac-similé numérotée du Protocole et d'une biographie de Richard Abercrombie, par une jeune spécialiste. Il y aura ensuite les tournées de conférences, dans tout le Royaume-Uni d'abord, aux États-Unis ensuite, peut-être dans l'hémisphère Sud. Il y aura bien, aussi, quelques universités hantées par la crainte de n'être pas à la page, et qui lui confieront quelques interventions rémunérées ; enfin, et si tout va pour le mieux, il y aura bien un poste de bibliothécaire, quelque part en Europe, adapté à ses compétences nouvelles. Le directeur de la bibliothèque travaille là-dessus. Pour l'instant Virginie Latour s'efforce de comprendre les théories scientifiques de Richard Abercrombie ; et ce n'est pas simple. Il semble en effet qu'Abercrombie se soit très notablement écarté des savoirs de son temps, et d'une façon plus générale des règles communes du raisonnement.

À partir de mai 1891, Richard Abercrombie ne se contente plus de ses photographies de sexes féminins. Il a vécu certes, au commencement, une sorte de fléchissement de son activité intellectuelle, que le Protocole reflète de la façon la plus simple : jusqu'en avril 1891, les photographies, soigneusement collées au centre de leur page, sont seulement légendées, d'une ligne manuscrite tracée à l'encre violette : un nom, ou un prénom, celui d'un lieu (une région le plus souvent, parfois une ethnie), une date. Cette première partie du Protocole est la plus violente : la femme se tient debout, ou couchée, elle regarde l'objectif, ses jambes sont ouvertes, à moins que les détails de son sexe ne soient apparents sans cela. Assez vite Abercrombie ne cadre plus que le bassin de ses modèles. L'effet est étrange : les sexes perdent de leur humanité ; et l'on voit surgir à leur place des reliefs de chair étonnants, lunaires, volcaniques. Virginie Latour n'a guère vu dans le passé que son propre sexe ; encore était-ce dans de médiocres conditions, dans un miroir trop petit, et au prix de contorsions ridicules, à l'âge de douze ans. Elle découvre maintenant, étalés sous la lumière impassible de l'appareil photographique, une cinquantaine de sexes féminins, d'une surprenante diversité. À bien y regarder, aucun d'entre eux ne se présente sous une forme identique à l'un de ses congénères ; chaque circonvolution de la chair semble absolument unique. Et c'est ce qui a dû frapper un Abercrombie passé d'un coup d'une virginité rigoureusement chaste à ces fêtes opulentes et charnelles, doucement inépuisables. Et là où, sagement sans doute, le langage commun parlait comme pour le ramener à une simplicité presque domestique, *du* sexe, ou d'*un* sexe, Richard Abercrombie, lui, n'avait vu que *des* sexes ; et il n'en était jamais revenu.

À partir de mai 1891 donc, le Protocole enregistre une mutation : les espaces entourant les photographies commencent à se couvrir de notes, de dessins, de schémas d'abord hésitants, esquissés, essayés comme à tout hasard, puis plus assurés, d'une écriture de plus en plus rageuse, de plus en plus irrégulière ; très vite même Abercrombie ne fixe plus les photographies que sur la page de droite de son album ; la gauche étant réservée à ses commentaires. Il y a beaucoup de ces dessins machinaux que chacun s'invente, pour les moments où il réfléchit ou ceux où il s'ennuie, et ceux d'Abercrombie sont toujours du même type : une seule ligne qui dessine de très fines volutes, comme celles d'une cervelle minuscule, délicate et folle, sinueusement repliée, à l'infini, sur elle-même ; chaque volute s'incurvant pour dessiner d'autres volutes identiques, d'un volume plus réduit, chacune d'entre elles à son tour involuant vers des formes plus ténues encore, jusqu'à ce que le trait de plume atteigne la limite du discernable. Quant au texte, il semble obéir, à l'inverse, à une loi d'expansion. D'abord embryonnaires, les mentions manuscrites ne comportent que des mots épars, énigmatiques, que Virginie patiemment relève dans un carnet alphabétique, en indiquant leur fréquence. Des termes tels que similitude, origine, parallélisme abondent. Il faut croire, dit un dimanche Virginie à Richard, quand fatiguée de se pencher sur tous ces vieux papiers elle descend grignoter dans la cuisine, que le choc de la sexualité a été trop grand pour ton grand-père. Il a voulu se dominer, rendre compte de ce cataclysme. Mais Richard ne dit rien, comme toujours quand il n'est pas d'accord. Il n'aime pas la psychologie. Il pense qu'il ne faut pas expliquer les gens, jamais, qu'on ne peut pas faire le tour d'un homme comme on fait celui d'un monument, qu'il faut laisser les gens tranquilles, même quand ils sont morts. Par ailleurs, il commence à s'ennuyer un peu, avec Virginie ; mais là non plus il ne dit rien.

Du désordre fiévreux du Protocole, Virginie extrait patiemment les lignes de force. Ce que Richard Abercrombie cherche patiemment à démontrer, c'est que tout, dans l'univers, revient au même : le monde est la résultante de la combinaison de formes toujours identiques. C'est ce qu'il appelle, dans une longue note de mai 1891, en soulignant trois fois à l'encre rouge la formule : le principe d'isomorphie. Diverses pages consacrées, au début du mois de juin, à ce principe d'isomorphie jettent une lumière nette sur la constellation mentale qui se forme dans les limbes du cerveau de Richard Abercrombie. Ce sont des notes entièrement rédigées, écrites sans une seule rature, d'une écriture presque apaisée, avec cette tranquillité qu'ont les saints, et qu'ils partagent avec les fous. Abercrombie se trouve alors dans la presqu'île d'Hokkaido, au Japon.

Sur la côte sud d'Hokkaido, Richard Abercrombie s'est d'abord installé dans une sorte de masure sans étage qui jouxte une maison de thé, c'est-à-dire un bordel, non loin du port de Kushiro. L'été, les notables de la ville viennent là paresser. À la fin de l'été 1891, Richard Abercrombie reçoit enfin l'argent qu'il a demandé au correspondant de sa banque à Tokyo. Il rachète six femmes de la maison de thé voisine. Il se prépare à hiberner dans une résidence isolée, à la pointe septentrionale du Japon, qu'il loue à un marchand de Kushiro. Cet ancien palais d'hiver d'un seigneur local se dresse sur la rive sud du détroit de La Pérouse, à cet endroit large de quarante kilomètres à peine, et qui sépare Hokkaido de l'île russe de Sakhaline. Richard Abercrombie y parvient avant les premiers froids, avec sa caravane de vivres et de femmes. Le palais est un corps de bâtiment traditionnel, plat et bas, comportant deux étages, bâti en pierres sèches et noires ; un long appentis abrite une sorte de douillet et complet établissement de bains : une chambre de vapeur, trois bassins, une salle de repos. Une grange à laquelle on accède par un chemin couvert et bordé de haies grises abrite une imposante quantité de bois de chauffage. Il passe là l'hiver, avec ses femmes. Il a pris goût à leurs sexes, à ces odeurs de coquillages marins qui lui levaient le cœur, au début ; et il passe de longues journées la tête entre des cuisses, jusqu'à ce que sa langue et ses lèvres soient trop endolories.

Les longues soirées d'hiver sont consacrées au Protocole. En date du 25 novembre 1891, le savant a exécuté au crayon noir le dessin d'un cerveau humain, en volume ; puis, patiemment, il a répété ce dessin en dessous, en changeant quelques détails ; et encore en dessous, une version légèrement modifiée. Virginie finit par comprendre que, de dessin en dessin, la forme glisse lentement vers une autre : le dixième et dernier croquis représente sans doute possible un nuage, de type altocumulus. Une seconde série de croquis, non datée, figure trois pages plus loin : cette fois Abercrombie a relié, par le même processus de translation, la forme altocumulus et les plis élégants et ouvragés d'un sexe de femme. À partir de là, le Protocole comporte toujours, de loin en loin, des exercices du même ordre : Abercrombie marie patiemment les nuages et les choses, des parties du corps et des objets de la nature. Parfois un coquillage se transforme prestement en une oreille humaine, parfois la résurgence tumultueuse d'une rivière conduit pas à pas à l'écorce tourmentée d'un olivier.

Quand il ne dessine pas, Richard Abercrombie reste couché avec ses femmes, mais c'est pour lui, et de plus en plus, la même activité scientifique. Il suce le sexe des femmes jusqu'à ce que lui viennent à la bouche des arrière-goûts de sang et d'eau salée ; souvent il trouve à leur cul un goût de sable ou de terre. Et il note obstinément tous ces résultats. Il caresse si longtemps les hanches d'une femme qu'il ne sait plus s'il est la main ou bien la courbe. Il a installé ses six demoiselles dans six chambres confortables ; et il voyage, attentif et immobile, de l'une à l'autre. La neige a vite effacé la silhouette sinistre de Sakhaline, et le reste du monde. Quand la fatigue l'étreint si violemment qu'il ne peut pas dormir, il se promène le long de la mer, sous les frondaisons de pins penchés par les vents fantasques du détroit. Ou bien, si le temps s'adoucit, sur la plage il ramasse des coquillages, quand leur forme lui paraît remarquable. Et toute forme est remarquable : bientôt des irrégularités de la nacre, la torsion sensuelle d'une vague le ramènent invinciblement, en pensée, à la courbe d'un sein, à la chair irisée d'un bas-ventre. Richard Abercrombie remonte vers ses chambres closes, par un petit chemin de pierres plates, humides d'embruns.

Un jour, une des femmes tire de son coffre de voyage, pour le distraire, un rouleau d'estampes, scènes érotiques et paysages ; et, bien qu'il s'agisse de plates copies, précises mais sans justesse, de maîtres japonais et chinois, Richard Abercrombie reconnaît instantanément en eux des frères. Il lui paraît évident que ces artistes peignent les corps comme en Europe on peint des paysages ; et qu'ils peignent les paysages comme s'ils étaient des corps. Rien ne se détache, rien ne déchoit, rien ne manque. Le secret est là, évident, tranquille : il n'est que d'épouser les formes du monde.

L'hiver s'achève ainsi. Richard Abercrombie voit quelquefois passer, au large de sa plage, de longues silhouettes grises, qui sont des navires de guerre. Parfois ils portent les couleurs de son lointain pays. Abercrombie les contemple d'un œil critique, comme autant d'infractions aux règles de l'universelle harmonie : tous ces engins de guerre ont des lignes si dures, les croiseurs, les destroyers ; leur coque de métal, recouverte de peinture grise, leurs ponts hérissés de tourelles sont une injure aux eaux bleues du détroit, aux nuances du ciel, à la pâle douceur du disque solaire. Certains navires passent si près que des marins lui font des signes.

Virginie a trouvé une photographie du savant qui date de son séjour au Japon. Elle ne l'a pas reconnu d'abord. Il ne vient à l'observer qu'une expression étrange : c'est un visage lavé. Un certain nombre de rides, sur son front et ses joues, toutes ces marques tangibles d'une érudition sourcilleuse, ont disparu. Les yeux semblent plus clairs, par contraste avec le hâle. Le printemps est là et Richard Abercrombie passe de plus en plus de temps sur la plage. Il médite au lent passage des navires de guerre et de commerce, qui sont de plus en plus nombreux. Il contemple avec une répugnance croissante ces objets profondément antiharmoniques. Et les États-Unis d'Amérique qui sont les nouveaux maîtres du monde, eux dont les bateaux traversent toujours plus nombreux le détroit de La Pérouse, lui semblent le pays le plus profondément antiharmonique qui soit. Et il sent bien que c'est cela qui va triompher, cette civilisation rigide, formidablement efficace et spirituellement démente, militaire et marchande, qui a passé deux mille ans à s'arracher à la contemplation des analogies sensibles de l'Univers pour repérer, au-delà des apparences, des lois utilisables pour s'arracher à la servitude de la nature, et servir le Progrès. Sur sa plage du nord d'Hokkaido, Abercrombie au fond reste un aristocrate ; que le sort des peuples se soit constamment amélioré, grâce précisément à cette rupture qui définit la civilisation occidentale, lui est parfaitement indifférent. Telle est sa grandeur désuète, et sa limite.

Et parfois Virginie Latour s'ennuie avec Richard Abercrombie. Comme tous les fous de son espèce l'homme est fastidieux, répétitif ; le théoricien en lui n'est jamais éloigné du grotesque. Mais il y a aussi là-dedans quelque chose de têtu, qui s'obstine, qui est infiniment touchant, infiniment pathétique. Alors Virginie continue à retracer la vie de cet homme. Ce n'est pas si difficile, une fois que l'on a compris son style. D'ailleurs si le théoricien ennuie Virginie, l'expérimentateur l'enchante. Richard Abercrombie fait sécher le cadavre de petits animaux pour déterminer la quantité d'eau que contient un corps ; il fait boire ses femmes et mesure combien elles expulsent d'eau. Il conçoit des jeux érotiques pour faire avancer la science ; il parfume l'eau qu'il fait boire à ses femmes, il s'allonge sous elle et boit leur urine, afin de vérifier si l'anis, la cardamome ou la vanille y passe. Parfois il les suce tellement longtemps qu'il n'a plus aucune conscience de bouger. Il est heureux. Il a jeté les bases de sa science nouvelle. En mai 1892, un compatriote géologue est de passage dans cette région isolée. Abercrombie le reçoit poliment. L'homme lui remet un paquet ficelé de toile cirée : son courrier des six derniers mois vient de le rattraper. Abercrombie ouvre les lettres de ses hommes d'affaires. Sa fortune personnelle reste confortable, encore qu'elle ne soit pas inépuisable.

Le géologue parti, Abercrombie disperse sa maison de thé personnelle. Il lui faut voyager sous d'autres latitudes, afin d'affiner les analyses. Deux mois plus tard il est aux Philippines. Il découvre avec intérêt une sorte de catamaran, d'origine fidjienne : deux coques effilées, une voilure imposante et pourtant maniable ; dans le golfe de Davao, il s'exerce patiemment, et il devient expert au maniement de cette embarcation. Sur ses instructions le fabricant local construit un modèle adapté à la navigation au large ; à l'avant de chacune des deux coques est aménagé un coffre, qu'il étanchéifie soigneusement ; dans les bordages, des réserves d'eau douce. Il rejoindra par ses propres moyens des terres plus tempérées. C'est qu'il lui paraît désormais impossible de recourir aux services d'un vaisseau de ligne, de redescendre dîner au mess, à heures fixes, entre un militaire hépatique et une veuve d'épicier, comme avant.

Il va avoir cinquante ans. Nous sommes en août 1892. Il vit à moitié nu, sous le soleil et dans la mer. Au même moment, à Londres où il vivait jadis, à Londres où il était un sujet de Sa Majesté britannique, de graves personnages encravatés se saluent gravement dans les clubs, dans les académies savantes et dans les chambres du Parlement, et ils édictent des lois, et ils émettent des hypothèses, et ils mordent leur cigare ou tirent sur leur pipe, en commentant des parties de cricket et des courses de pur-sang arabes ; et ce sont comme lui des hommes, pourtant.

Ensuite, pendant des mois, Richard Abercrombie dérive dans les archipels du Pacifique, sans destination particulière, sans hâte excessive, avec la majesté d'un roi sans royaume. Le catamaran justifie tous les espoirs que son concepteur a mis en lui : il tient les vents les plus forts — il est vrai que la région n'en connaît guère de très violents, en cette saison — et il avance vaillamment, aussi bien, avec toute sa voilure. C'est aussi et surtout le vaisseau analogique par excellence ; dans les eaux transparentes qui le portent comme un délicat bijou blanc, dans ces eaux presque invisibles, Richard Abercrombie admire cette coque aussi effilée et puissante que les requins que parfois elle survole ; il aime cette voile qui se gonfle d'air chaud comme un ventre gravide ; il aime son vaisseau élémentaire et pur, qui glisse sur les flots sans jamais les souiller. Dans cette poussière de terre qu'on appelle la Micronésie, Abercrombie navigue à vue, sans se hâter, d'un anneau minéral à un autre, de Guam à Bikini, de Jaluit à Tarawa, de Pukapuka à Manihiki. Il va sans dire que les formations coralliennes retiennent toute son attention ; pendant des heures il plonge pour observer cet organisme minéral qui se nourrit de soleil et d'eau.

Dans le Pacifique, il s'est mis à naviguer à vue, au hasard. Il s'est aperçu que chaque îlot de taille un peu conséquente est signalé au navigateur par un petit nuage qui le couronne tout le jour. Pour Abercrombie, c'est encore une victoire : en vérité toute terre porte au ciel son objet miroir, son fantôme de vapeur blanche. Ainsi vogue Richard Abercrombie, de nuage en nuage : parfois l'îlot qu'il aborde n'est peuplé que de crabes, sans point d'eau douce ; il repart aussitôt, et pour ne pas mourir de soif il distille au soleil de l'eau de mer, avec un condensateur de sa fabrication. Parfois il tombe sur des îles abritant deux ou trois familles, de passage ou de demeure ; beaucoup n'ont jamais vu d'homme blanc. Abercrombie offre alors des vivres, de la ficelle ; que ces hôtes reçoivent avec le respect qu'il convient de porter à l'utile. Les hôtes cuisinent, il partage leur repas. Parfois le soir une femme le rejoint. Il ne refuse jamais ; au matin il demande à prendre une photographie.

Une fois seulement Abercrombie heurte, sans comprendre lequel, un tabou terrible : est-ce un jour néfaste, la jeune fille qu'il a entraînée sur la plage est-elle fille d'un de ces êtres que parfois sa propre tribu maudit ? Toujours est-il qu'une foule vociférante les interrompt ; la jeune fille court sous la lune à une vitesse stupéfiante, mais le caillou d'une fronde l'atteint au tendon, et elle s'effondre comme un cheval blessé, et se traîne. La foule l'enveloppe en un instant et la réduit, à coups de pierres, en charpie. Abercrombie pense d'abord qu'il va mourir ; mais il s'aperçoit que, lui-même devenu tabou, il est assuré d'une impunité totale.

La foule disparaît sans un bruit dans la nuit. Abercrombie se force à s'avancer vers la fille, il se force à regarder cette bouillie de sang et de pierre, sous la lumière bleue du ciel nocturne. Au petit jour il est chassé de l'île du bout de longs bâtons, par des hommes qui s'avancent vers lui de dos, pour ne plus le voir, pendant que des femmes chantent. Quand il descend vers son catamaran, les crabes rouge et blanc s'écartent sous ses pas comme une mer docile. Pendant que les peuples dits sauvages finissent de mourir, pendant que l'Occident referme ses mains puissantes sur le monde, Richard Abercrombie va en finir le tour, lentement, avec volupté, avec piété, avec le sentiment d'être le premier et le dernier de son espèce. Il se prend pour un dieu, et il se sait mortel. Désormais il est partout chez lui, dans la plus haute des solitudes. Il retourne vers ce qui fut son pays natal : il s'achemine lentement vers l'Angleterre.

Quand Virginie Latour n'est pas à ses côtés, quand Virginie Latour n'est pas là pour lui parler des atolls du Pacifique et de Richard Abercrombie, Akira Kumo s'ennuie ferme. Le 5 octobre 2005, par exemple, Virginie n'est pas là et Akira Kumo s'ennuie ; il s'assoit dans son fauteuil et regarde celui de Virginie, en résistant à l'envie d'adresser la parole au fauteuil. Virginie de plus en plus est absente, soit qu'elle avance dans la rédaction de la biographie de Richard Abercrombie, soit qu'elle ait des rendez-vous en Angleterre, pour des perspectives d'emploi, pour une conférence. Akira aspire précautionneusement l'air ambiant, dans l'espoir que quelques molécules de son parfum seront demeurées là, mais la femme de ménage a fait son travail et il flotte dans l'air purifié de vagues et chauds relents d'aspirateur. Ensuite Akira Kumo résiste à la tentation de l'appeler à Londres. Alors, comme il n'a plus rien d'autre à faire, il repense à Hiroshima. Il a reçu la veille un courrier de l'administration de cette ville, qu'il n'a pas ouvert. Mais Hiroshima s'est levé dans sa mémoire, comme dans un brouillard d'abord ; puis le brouillard s'est évanoui. Akira Kumo se souvient d'Hiroshima, il revoit l'Observatoire, les belles avenues droites ; mais cette brusque résurgence du souvenir a comme tari sa mémoire. Il a beau chercher à penser à autre chose, rien ne lui vient.

Alors Akira Kumo s'arc-boute et tourne son visage, encore une fois, comme il l'a fait toute sa vie, vers le ciel, vers le ciel de Paris et ses nuages si simples et tellement étranges. Il aura fallu beaucoup de temps aux hommes, pense-t-il en regardant les petits flocons de coton blanc qui s'avancent vers l'est, il aura fallu beaucoup de temps pour admettre l'idée que les nuages, comme toute chose occupant de l'espace et du temps, pèsent un certain poids. Pour Luke Howard encore, par exemple, il était impensable que tous ces volumes diaphanes, ces drapés de mousseline, ces voiles de traîne soient des *masses*. Alors Howard imaginait que l'eau se maintenait dans les cieux en enveloppant dans ses gouttes, comme de petits sacs, de l'air, qu'il appelait des vésicules. Par sa baie vitrée donnant au nord, Kumo voit maintenant s'avancer vers lui un énorme cumulo-nimbus : sa base glisse à environ six cents mètres du sol ; étant donné sa hauteur, peut-être neuf cents mètres — il ne peut apercevoir le sommet de ce nuage —, il a beau savoir qu'il doit peser dans les cent mille tonnes, Kumo qui pourtant s'est habitué depuis longtemps à cette idée de la pesanteur des nuages n'y croit pas. Sa pensée revient en direction du Japon et de sa ville natale, il se souvient avoir reçu un courrier de la mairie, il y a peu, il ne l'a même pas ouvert, où est-il donc ? Cent mille tonnes, c'est une masse trop difficile à penser. Akira Kumo a appris un jour, et il s'en est toujours souvenu depuis, que le lamantin d'Amérique pèse en moyenne une tonne. Maintenant il a trouvé une application à cette information. Le cumulo-nimbus qui désormais occupe tout son horizon, il s'efforce de se le représenter comme un troupeau de cent mille lamantins paissant au ciel, mais encore une fois sa pensée retombe, inerte, comme rabattue par cette masse mousseuse qui a envahi son ciel, vers la lettre qu'il a reçue de la ville d'Hiroshima. Et cette fois tout lui revient : il a rangé la lettre dans le deuxième tiroir de sa commode. Il abandonne la partie, sonne, on lui apporte le courrier qu'il demande, il exige de n'être pas dérangé jusqu'à l'arrivée de l'infirmière, pour le soin du soir. C'est un pli épais, un document de l'administration des Affaires étrangères, à Tokyo, plus précisément du fonctionnaire qui l'a renseigné la fois précédente. Il a trouvé un autre document concernant sa famille. C'est un papier jauni, apparemment un feuillet de livret familial, constellé de tampons ; il provient, d'après la lettre qui l'accompagne, des ruines de l'ambassade du Japon à Berlin, dans le bombardement de laquelle sont morts ses parents. Le feuillet est divisé en deux moitiés ; en haut figure la photographie d'Akira ; il a sept ans, il sourit consciencieusement mais élégamment, comme savent le faire les enfants de sept ans ; mais il y jette à peine un coup d'œil ; son regard est immédiatement happé, dans la partie inférieure du document, par deux grands yeux absolument sérieux posés dans un visage rond comme une lune. Alors, absurdement, Akira se penche sur ces yeux et y tombe sans fin, tout lui revient d'un coup, le prénom de la petite fille aux yeux immenses, et avec ce nom toute son enfance avec elle, et leurs jeux, et leur amour, et la joie d'être seuls au monde, les parents promenés dans toute l'Europe, tout un monde qui se déplie d'un coup, terriblement. Il pleure tant qu'il ne voit plus rien, mais il n'a plus rien à voir. Il pleure jusqu'à ne plus avoir de larmes. L'infirmière vient, elle s'inquiète un peu des yeux rouges, il la rassure : c'est que l'air est pollué, par un temps pareil, il n'a pas plu, il règne sur Paris une chaleur de serre, légèrement sulfurée, écœurante comme les effluves d'une étable.

Puis il prend l'un de ses feutres noirs, il se hâte d'écrire, de peur d'oublier à nouveau, cette seconde partie de lettre qu'il avait promise à son amie Virginie. Toute la journée du dimanche y passe. Il la donne ensuite à l'infirmière pour qu'on l'expédie. L'infirmière quitte la pièce ; le vieillard pousse un verrou derrière elle ; le fauteuil roulant dans lequel il est sanglé passe tout juste la porte qui mène au cabinet attenant à la bibliothèque. Il se détache sans difficulté ; ensuite c'est la partie pénible de l'opération : il doit se traîner sur le balcon, se hisser sur la rambarde à la force du bras. Le second suicide est plus difficile que le premier ; Akira Kumo est furieux d'avoir à crever pour ne pas finir comme une larve recroquevillée. Il ne se suicide pas contre quoi que ce soit, ou pour démontrer quelque chose, simplement il a fini, il a épuisé les possibilités ; celles qui lui restent, celles d'un vieillard pourrissant, l'intéressent assez peu. Il jette un coup d'œil en contrebas, pour veiller à ne blesser personne. Il s'annoncerait bien, mais il craint que des passants n'aient l'idée de le sauver, comme on voit dans les séries télévisées, avec une vieille couverture. On n'est jamais trop prudent. Et trois suicides sont au-dessus de ses forces. Il y a maintenant de très belles traînées nuageuses, avec des effets rosés du plus bel effet. Demain il fera beau, très certainement, au moins dans la matinée, mais Akira Kumo n'a plus le temps de les contempler, car l'infirmière de nuit ne va plus tarder, avec son odeur de sueur légèrement acide qui lui fait crisser des dents lorsqu'elle ajuste ses couvertures, le soir, et il ne souhaite pas la revoir. Il adresse à Virginie Latour une dernière pensée. Ensuite il tombe ; il croit que son âme s'élèvera très vite vers le ciel vide. Puis c'est l'impact. Il meurt immédiatement et son sang forme, en coulant sur le trottoir, un dessin irrégulier et beau, à la signification incertaine.

Le 7 novembre 2005, Virginie Latour trouve à Londres, en passant à Willow Street, une lettre d'Akira Kumo. Depuis quelques semaines elle a loué dans le quartier de Hampstead un pied-à-terre, naturellement petit, bruyant et hors de prix. Elle a quitté Richard Abercrombie Jr à la suite d'un événement inouï : il s'est déclaré amoureux. Il a présenté l'objet de sa flamme à Virginie. L'objet de cette flamme stupéfiante et monogame, de cette flamme stupéfiante parce que monogame, se pré-nomme Nicole. C'est une jolie rousse qui donne des cours de littérature allemande à l'université de Londres et traduit en anglais des essais de philosophie contemporaine dont Virginie ne comprend même pas le titre. Comme toutes les personnes dont c'est le métier d'être intelligent, Nicole Strauss est d'une naïveté confondante quand il s'agit de décrypter son environnement immédiat. Aux questions que cette jeune femme lui pose, Virginie Latour comprend, fort heureusement assez rapidement, qu'elle est censée être la meilleure amie de Richard ; Virginie Latour a également fini par comprendre, à force de ne pas comprendre certaines allusions de Nicole, que pour faire bonne mesure Richard l'a présentée comme une farouche lesbienne. Nicole Strauss adore littéralement Virginie. Mais il a été question que Virginie trouve à se loger ailleurs ; et Virginie s'est exécutée de bon cœur.

Le 7 novembre 2005, elle se hâte de lire la lettre du couturier. Akira Kumo a écrit que, quand son histoire commence, il est âgé de treize ans. C'est l'été. Il n'a jamais fait aussi beau. Il ouvre les yeux et sa sœur Kinoko le regarde en riant ; comme d'habitude, elle est en avance sur lui : elle a déjà revêtu l'uniforme de l'école, la jupe plissée grise, le pull blanc. Kinoko est âgée de douze ans. À l'école, elle a un an d'avance. Il n'est pas d'usage, au Japon, de placer un frère avec sa sœur dans la même classe ; mais c'est la guerre ; les professeurs sont rares. Il n'est pas d'usage, au Japon, qu'un frère aime sa sœur cadette ; mais leur mère, qui éprouve une passion folle pour son mari, les a laissés grandir à l'abandon, et Kinoko et son frère s'aiment de tout leur cœur. Les domestiques élèvent les petits ; pendant la guerre les parents, en poste en Europe, ne verront quasiment jamais leurs enfants. C'est l'heure de partir à l'école ; il y a, pour s'y rendre, vingt minutes de marche : on prend un chemin pelé, qui longe, en la surplombant légèrement, la rivière Ota. À l'école d'été on apprend pour l'essentiel à manier le pinceau en prévision des véritables cours de calligraphie, qui viendront après la guerre, mais quand viendra la fin de la guerre ? Les enfants emportent sur leur dos un petit châssis de bois léger : on y a ficelé quelques petites boîtes étanches contenant leur déjeuner, ainsi qu'un cylindre de métal poli abritant feuilles de papier et pinceaux.

Dans les premiers jours d'août, la guerre est loin ; la directrice de l'école, qui est aussi leur professeur, les punit régulièrement : Akira et Kinoko ne sont pas des modèles d'enfants japonais ; leurs camarades les regardent avec suspicion parfois, souvent avec envie. Ce sont eux qui dirigent tous les chahuts, toutes les batailles rangées, mais aussi les jeux les plus anodins comme les chasses au trésor ou les marelles : Akira en dessine de magnifiques. Kinoko en édicte les règles compliquées et changeantes avec une assurance exaspérante ; ils sont souvent si heureux qu'ils n'osent même pas se regarder. Le trajet du matin est celui qu'ils préfèrent. Ils l'effectuent seuls jusqu'à ce que le petit chemin de terre qui part de leur maison rejoigne la route principale, à une centaine de mètres seulement de l'école ; à partir de là, c'est la vie en communauté, la grande mascarade de la vie sociale qui commence. Kinoko a réveillé très tôt son frère. Il fait un temps si radieux qu'Akira sait immédiatement pourquoi il faut se hâter : ils vont se baigner en chemin, dans une des criques de la rivière Ota. Le chemin de l'école est bordé de buissons odorants, il serpente vers l'école sans paraître bien pressé ; les deux enfants, eux, courent presque, vers le lieu de leur baignade. C'est qu'il faudra se sécher avant de rejoindre la classe. Il va falloir également veiller à ne pas se faire surprendre par la directrice : elle emprunte tous les matins la route sans poussière qui surplombe le sentier. Sans avoir besoin de se concerter les deux enfants descendent vers leur endroit préféré. C'est une petite crique de sable sombre, évasée comme un coquillage. Une pluie nocturne, limpide et fraîche comme une source, a lissé le sable noir qui la borde ; sans les vents qui tout le jour plisseront leur surface, les eaux de la rivière Ota semblent immobiles. Le soleil brille.

Ils cachent leurs affaires sous un camphrier imposant ; il leur faut se baigner nus pour arriver secs à l'école, et puis c'est toujours plus amusant. Ils sont arrivés vingt minutes après sept heures, la classe est à la demie de huit heures. Ils plongent dans le bassin d'eau claire et remontent sans se lasser. Naturellement un seul plongeon prend si peu de temps qu'il est toujours possible d'en rajouter un sans perdre beaucoup de temps ; et c'est ainsi que tous les enfants du monde arrivent en retard à l'école, quand ils ont la chance d'y aller. Il reste environ vingt minutes avant huit heures et demie : bientôt Kinoko et Akira vont être en retard. Kinoko vient de remonter sur le sable déjà chaud. Elle court vers le camphrier pour se rhabiller ; Akira plonge, pour la dernière fois. Kinoko lève machinalement la tête : le soleil frappe la colline au pied de laquelle ils se trouvent ; leur petit chemin serpente, à quelques mètres au-dessus de la crique et, le surplombant, sérieusement goudronnée et gravement rectiligne, la route principale. Akira refait surface à trois mètres du bord, il se tourne vers sa sœur comme toujours, et, pendant que Kinoko est baissée sur sa seconde chaussette, la silhouette tristement familière de la directrice se découpe sur la route. Son tailleur noir à peine cintré, son chemisier blanc, sa large cravate beige, sa mallette à la main droite, le scintillement de la grosse montre-bracelet anglaise dont elle est si fière, malgré la guerre : c'est bien elle. Elle ne les voit pas d'abord, car elle marche décidément trop droit. Il va être huit heures treize. Maintenant Kinoko a vu la directrice, et comme elle a bougé la directrice les a vus : elle lève un poing menaçant dans leur direction ; Kinoko a un geste de pudeur que l'éloignement rend encore plus ridicule ; elle couvre son bas-ventre avec sa chaussette. Il vient à Akira une idée plus absurde encore : il replonge. Il doit être huit heures quatorze. Il sait qu'il peut rester au fond pendant de longues minutes ; il se retient à des pierres moussues et froides, à des algues rêches ; l'eau est glaciale. Il pense absurdement que la directrice ne les aura peut-être pas reconnus, il sait que la directrice ne s'abaissera pas à les rejoindre au bord de l'eau, il pense donc qu'il pourra toujours nier s'être trouvé là. Puis tout cela finit, comme toujours, par le faire rire, et il laisse échapper presque tout son air, il va falloir qu'il remonte très vite.

C'est à ce moment-là, précisément, que l'éclair inhabituel, d'un bleu très beau, frappe le sable du fond. Akira ne bouge plus. Puis il suffoque. Un grondement sourd, comme venu des profondeurs de la terre, balaie toute la surface de l'eau. Akira remonte et reprend pied. Il ne comprend pas. Il ne remarque même pas, d'abord, que Kinoko n'est plus là. C'est tout le paysage qui a changé, comme dans un rêve. Tout semble un autre jour ou un autre moment, un autre lieu, par exemple il fait beaucoup plus chaud qu'avant et ce n'est pas la même chaleur : comme l'odeur répugnante d'un four sale chauffé à vide. Le sol est gris. Il flotte une odeur si infecte que bientôt on ne la sentira plus ; c'est une puanteur de charogne, acide et grasse à la fois. Le ciel même est étrange.

Akira s'est tourné vers le camphrier mais le camphrier n'est plus là. Kinoko n'est plus là. Il se met à gravir, toujours nu, la pente cendreuse et brûlante, vers la route. Il se met à courir vers la route, il pense que la directrice va expliquer la situation. Mais à la place qu'elle occupait sur la route goudronnée s'étale un chiffon blanc et rouge, vers lequel se penche l'enfant et qu'il veut ramasser ; le chiffon est beaucoup trop lourd, et de surprise Akira recule et comprend. C'est en fait le torse de la directrice : ses jambes ont disparu parce que, non protégées par un tissu clair, elles ont été cuites et pulvérisées. Et maintenant il pense à ce que signifie l'absence du camphrier. Il ne pense pas : Kinoko est morte ; il n'y a pas de corps pour le lui faire penser. Kinoko n'est plus ; et sur le coup cette absence de corps paraît un soulagement ; mais c'est pire que tout, son corps a disparu dans l'atmosphère, et elle va errer comme un fantôme dans l'atmosphère, jusqu'à la fin des temps peut-être. Alors il redescend vers la crique, alors il entend le silence qui règne, un silence, c'est très exactement l'expression qui convient, un silence de mort, parce que tous les oiseaux, à dix kilomètres à la ronde, sont morts ; et la plupart des hommes ; et beaucoup d'insectes ; et l'on voit dans les eaux troubles de la rivière Ota, le ventre blanc des poissons faire surface. Et, à l'endroit du camphrier, il trouve un objet à demi fondu, qu'il connaît bien, qui est la montre de Kinoko, une petite montre allemande de gousset, qu'il se brûle à vouloir saisir. Il faut se pencher sur la rivière, recueillir un peu d'eau pour refroidir le métal fumant, qui s'apaise et brille au soleil. Le verre a disparu et les aiguilles se sont incrustées dans le cadran ; elles marquent huit heures quinze. Akira la jette dans la poussière.

Ensuite il a marché vers la ville, il a marché vers l'emplacement de la ville qui est une plaine presque entièrement rasée, en empruntant la route goudronnée, parsemée de déchets sans nom, il a marché vers Hiroshima en suivant la rivière, en croisant quelques mourants et beaucoup d'hommes morts, et beaucoup de restes d'hommes morts, et il est arrivé à la hauteur de l'endroit où s'élevait l'école, et il ne s'est pas arrêté, il a continué à marcher en s'écorchant les pieds, il a marché pour marcher, évidemment c'est une erreur de marcher vers la ville irradiée, vers cette plaine pulvérulente et venimeuse, mais personne ne savait encore. Akira est arrivé aux portes de la ville ; il a croisé encore d'autres êtres abîmés par la bombe, une femme hérissée d'éclats de vitrines qui marchait encore un peu, Akira est enfin arrivé aux portes de la ville, sur une petite éminence où ils aimaient s'asseoir tous les deux, avant, avant l'explosion, une petite éminence, et c'est de là qu'il découvre maintenant une plaine de ruines qui ne ressemble à aucune autre, à aucune de celles que l'on a vues dans les journaux, qui ne ressemble ni aux cendres de Hambourg ni aux décombres de Cologne, une plaine de ruines plus nette, plus propre que toute autre.

Le livre sacré des Américains conte la fin du monde, c'est un récit de sang et de feu où l'on punit les méchants, et maintenant au-dessus de la ville se tient un nuage unique et lourd sorti tout droit de ce livre sacré, advenu sur la terre par la grâce des Américains, comme si la ville rasée flottait au-dessus d'elle-même, réduite en poussières toxiques, comme si le nuage de l'apocalypse avait absorbé toute la poussière qu'exhalait la ville, la poussière des routes et celle des bâtiments pulvérisés, et toute la poussière des corps aussi. À l'autre bout de la terre, au nord-est de l'Europe, des juifs et des Tziganes et des militants politiques et bien d'autres encore sont eux aussi partis en poussière, pendant des années, mais tout le monde a regardé ailleurs, avant de construire des souvenirs pervers qui serviront à l'oublier. Le nuage d'Hiroshima est un nuage très particulier, un nuage que peu d'hommes ont vu auparavant, là-bas, sur une base militaire du Nouveau-Mexique, un nuage prolongé, jusqu'au sol, d'un pédoncule effilé, un nuage posé sur un pied comme un champignon grotesque. Akira s'est arrêté sur la colline. Lentement le nouveau nuage commence à perdre son pied, tout en dérivant lentement comme un dirigeable allemand sans pilote. Puis le nuage est devenu noir, d'un noir comme on n'en a jamais plus vu, parfait, profond comme un abîme, le nuage d'Hiroshima a fermé progressivement tout l'horizon, il fait presque nuit sur Hiroshima vers le midi alors que, si l'on tourne le dos à la ville, un plein soleil d'été brille. Le nuage s'est encore étendu jusqu'au point où il a semblé n'y plus tenir, et il s'est mis à pleuvoir ; simplement, la pluie était noire, entièrement noire, elle rend la poussière des corps à la terre. Il pleuvra ainsi tous les soirs, pendant des semaines. Akira essaie de penser à sa sœur en regardant les gouttes noires, mais c'était impensable, ces gouttes une petite fille il y a deux heures, c'est impossible, il est impossible que le corps d'une petite fille tombe sur le sol en pluie, et c'est pourtant exactement cela qui se produit, nous entrons dans le monde où cela est possible, et bien d'autres choses encore. Akira s'est mis à pleurer. Vers le soir une équipe de secours a ramassé un enfant d'environ huit ans, entièrement nu, sans blessures apparentes, sur une colline au-dessus d'Hiroshima. Ils l'ont ramassé par acquit de conscience : il ne devrait pas passer la nuit, de toute façon.

Ensuite Akira est devenu une curiosité médicale ; il ne souffre pas du moindre cancer, il n'a pas été atteint de la moindre infection imputable à sa présence sur le site d'Hiroshima, le 6 août 1945. Aux Américains Akira ne dira rien, il les laisse mener leurs examens mais il ne dit rien, ni de sa sœur ni qu'il était sous l'eau, ce qui d'ailleurs ne suffirait pas pour expliquer son immunité. Pendant des semaines il vit entouré de mourants de tous âges, chaque jour renouvelés. Quand il s'enfuit vers Tokyo, il est âgé de treize ans et pense être immortel ; il est à peu près fou mais personne ne s'en aperçoit ; il dessine sans cesse. Il faut être fou pour oublier Hiroshima, mais c'est la seule façon d'y survivre ; il oublie tout.

La lettre d'Akira Kumo s'interrompt comme elle a commencé, sans préparation. Virginie prend l'avion sans illusion particulière. Rue Lamarck, on a placé le corps dans la bibliothèque. Une aide-soignante a arrangé la tête comme elle pouvait. Virginie ne demande pas à le voir. Elle s'avance sous la verrière de l'entrée : il y a des journalistes, qui mitraillent de confiance tous ceux qui pénètrent dans l'hôtel, il y a des domestiques, il y a des mannequins et des assistants en pleurs ; il y a des hommes en costume sombre qui donnent des ordres véhéments dans de petits téléphones gris, en s'efforçant de ne pas crier ; il y a, dans le grand salon qui s'ouvre à main gauche au rez-de-chaussée, assis autour d'une immense table de bois noir, des avocats et des hommes d'affaires, des stylistes. Un petit homme sérieux assis en bout de table prend la parole. Il est notaire de son métier, il fait signe à Virginie de s'avancer, il la fait asseoir à ses côtés.

Apparemment Akira Kumo aimait les testaments ; on en a retrouvé une vingtaine, empilés dans un coffre jamais fermé. On assiste à l'ouverture et à la lecture du plus récent. Les autres sont placés sous scellés. Akira Kumo se sait sans héritiers, directs ou indirects. La maison de couture peut et doit être préservée ; le défunt autorise l'extension de la gamme des produits dérivés vers le tourisme de luxe, ce qu'il a toujours refusé jusqu'à présent. Il est également question d'une Fondation. Il y a enfin une clause qui concerne Virginie Latour. Elle recevra les cendres du défunt, qui lui seront livrées à l'adresse de son choix ; à charge pour elle de les disperser où elle voudra, mais avec l'interdiction d'y convier qui que ce soit, ou de divulguer l'emplacement de la dispersion. Akira proscrit formellement toute cérémonie, laïque ou religieuse, publique et même privée, pour honorer sa mémoire ; il interdit de même que quiconque assiste à la crémation. Il y a enfin dans une enveloppe la clef d'une maison modeste, de deux étages et de quatre pièces, située à Londres, que le couturier offre à sa bibliothécaire. Le petit notaire se lève ; tout le monde l'imite. On sort dans la cour intérieure.

Virginie Latour est conduite dans la bibliothèque ; elle n'a pas osé refuser une seconde fois de voir le corps ; on la laisse seule. Sans regarder le cadavre, elle s'avance vers la baie vitrée, comme elle l'a fait tant de fois ; elle passe sur le petit balcon. Au bout de la rue Lamarck, un nuage s'est posé. Virginie ne parvient pas à être triste. Il ne faut pas qu'elle regarde ce cadavre ; il faut qu'elle contemple ce gros nuage, au bout de la rue Lamarck, et le ciel tout entier, qui ne tient aucun compte de nos désastres. Elle pense que le cadavre a bien dû déjà perdre de son eau ; elle pense que cette eau s'est condensée contre la paroi intérieure de la baie vitrée. Elle pense que l'on aérera la pièce ; en conséquence de quoi une partie de l'eau du corps d'Akira Kumo restera là un peu, avant d'être vaporisée par le soleil, elle pense qu'une partie de cette eau atteindra peut-être le sol goudronné et suivra la pente de son bassin de capture, à travers les caniveaux, à travers le réseau minutieux des égouts, vers la Seine et vers la mer, sans qu'on puisse en garder la trace. Virginie s'incline vers le gros nuage de la rue Lamarck, en direction de la mer et du soleil levant, en direction du Japon. Elle quitte l'hôtel particulier. Elle ne reviendra jamais rue Lamarck.

L'entourage a remis à Virginie Latour un dossier complet sur son nouvel emploi. L'ex-patron de Virginie a bien travaillé. Le Centre européen de météorologie de Reading, à moins de cent kilomètres à l'est de Londres, réclame une archiviste à mi-temps. Il suffit que Virginie téléphone à Reading, à son arrivée en Angleterre, pour se renseigner ; sa maîtrise de la langue anglaise semble rassurer le directeur du centre. Puis elle se précipite pour visiter sa maison. À Londres, dans le quartier de Hampstead, au numéro 6 de la petite rue de Well Walk, c'est un édifice de brique de deux étages, à toit plat, peint en blanc, à l'exception des montants des hautes fenêtres qui sont d'un bleu pâle très anglais. Une plaque informe le passant qu'un poète a vécu là, quelques années, du temps où Hampstead était un village du nord de Londres. À deux pas s'étend ce parc qu'elle connaît bien pour l'avoir arpenté, le soir, avec Richard Abercrombie qui désormais sera son voisin. Quand Virginie Latour s'avance dans la pièce principale, un grand salon parqueté de pin, elle sait immédiatement qu'elle va vivre ici. Sur l'unique table, dans le salon, une sorte de vase de porphyre gris l'attend. C'est alors seulement que Virginie pleure.

À Reading où elle se rend dès le lendemain, tout se passe très bien. Le Centre européen de météorologie est financé par le Conseil de l'Europe ; il possède le meilleur équipement du monde et peut centraliser, au besoin, les puissances de calcul de tous les prévisionnistes professionnels d'Europe occidentale. Le travail requiert la présence de Virginie trois jours par semaine : elle doit référencer les dizaines d'ouvrages et de revues météorologiques que Reading reçoit chaque mois, et assurer la veille concernant l'image internationale du centre et la perception de ses travaux. Chaque matin, du mercredi au vendredi, Virginie travaille dans la petite maison blanche de Londres à un chapitre de la vie de Richard Abercrombie ; l'après-midi elle dépouille le Protocole, elle examine avec l'éditeur des essais de mise en pages, les retirages de certains clichés. Parfois, le samedi, elle dîne avec Nicole Strauss qui décidément est son amie, parfois avec Nicole et Richard. Le reste du temps elle jouit de sa solitude ; elle se promène sur la lande de Hampstead ; elle visite les musées. Quand elle écrit, pour se donner du courage elle s'imagine qu'elle parle à Akira, dans la bibliothèque de la rue Lamarck. Au bout de six mois, elle engage des travaux pour percer, dans le toit du 6, Well Walk, de quoi installer une immense verrière.

Les semaines passent comme des jours. En janvier 2006, elle en est aux trois quarts du Protocole lui-même. Les notes d'Abercrombie sont de plus en plus laconiques, mais elle croit le comprendre de mieux en mieux. Arrivé jusqu'au bout du monde, arrivé jusqu'au bout des races et des femmes et des paysages, Richard Abercrombie pourrait peut-être continuer, faire encore un tour, mais il est fatigué ; et puis il est bien décidé à mesurer sa propre métamorphose à l'aune de son pays natal. Il donne par télégramme des instructions pour qu'on lui fasse parvenir son courrier à San Francisco. Alors il revient en direction de l'Angleterre ; il le fait sans hâte, il le fait en prenant le chemin le plus long, il ne veut pas revenir sur ses pas, il fait le tour du monde, tant qu'à faire. En octobre 1892 Richard Abercrombie se trouve à Hawaii, au mois de décembre 1892 il entre dans la baie froide et calme de San Francisco, il ne voit rien de la ville, mais le brouillard qui la couvre et l'abolit l'enchante ; il passe une heure sur le pont supérieur du navire de ligne qui le ramène lentement vers l'Angleterre, et qui attend au milieu de la baie que la marée lui permette d'accoster.

À la réception du Grand Hôtel, où il descend, de nouveau une liasse de courrier attend un homme qui n'existe plus. Il y a pourtant plus d'un an qu'il s'est tu. Il ne comprend pas que c'est justement ce silence qui fait fracas dans le petit monde des grands scientifiques. Si son retour est tant attendu, c'est que ce silence obstiné d'Abercrombie sur son atlas photographique de nuages a été perçu par ses collègues qui le connaissaient bien comme le signe indubitable d'un triomphe imminent. Si Richard Abercrombie se tait, c'est pour rendre sa victoire plus éclatante. Mais il n'ouvre pas son imposant courrier, au grand étonnement du réceptionniste qui lui tendait un coupe-papier, en regardant avec curiosité cet individu de race blanche, vêtu et tanné comme un marin pauvre, et qui reçoit un courrier de sénateur. La lettre de son chargé d'affaires de Londres est la seule qu'il ouvre : le contenu en est presque menaçant. Les banquiers s'irritent lorsque la clientèle gaspille. Abercrombie se rend dans la succursale bancaire que lui indique son homme d'affaires. C'est là qu'il apprend, de la bouche d'un petit homme frêle et poli, au visage pâle, de la bouche d'un petit homme cintré dans un costume de bonne coupe, de la bouche moustachue de cet homme qui n'a peut-être de sa vie jamais sucé le sexe d'une femme, de cette bouche policée qui pue le gin et le tabac brun, et qui s'acquitte de cette corvée avec un embarras pitoyable, il apprend, donc, que la fortune du professeur Abercrombie a subi ces derniers mois une érosion fort sensible, encore que non irréversible, et que la maison mère Farter, Johnson & Farter Fils, de Londres, lui fait respectueusement observer qu'à ce rythme le professeur Abercrombie, s'il lui prenait — et c'est son droit — la fantaisie, fantaisie qu'il était du devoir de MM. Farter, Johnson & Farter Fils de lui signaler comme hautement hasardeuse, de maintenir un train de vie analogue dans les mois, voire dans les années à venir, devrait envisager, dans moins de cinq ans si le contexte économique ne s'améliorait ni se dégradait, une réduction de son train de vie pouvant aller jusqu'à la nécessité de mesurer ses dépenses courantes. Une fois que Richard Abercrombie a tiré du jeune employé de banque l'information certaine qu'il n'est en rien ruiné, mais simplement affligé d'un banquier prudent, il quitte la banque, non sans avoir télégraphié à MM. Farter et leur associé Johnson de lui envoyer une forte somme, au besoin en vendant quelques valeurs, dans les plus brefs délais. Il ne donne pas d'adresse ; il viendra lui-même retirer l'argent.

Puis il retourne au Grand Hôtel, demande à régler et ne donne aucune adresse où faire suivre son courrier. Un pourboire lui assure que le réceptionniste détruira toute correspondance qui lui parviendrait encore. Portant lui-même son bagage, une malle unique qui lui scie l'épaule, Abercrombie descend dans un hôtel de standing moyen, en bordure du quartier chinois. De sa chambre du premier étage il regarde, à travers un rideau de mousseline qui a dû être blanc, dans la rue : l'homme au complet rayé est encore là. Depuis qu'il a débarqué dans le port de San Francisco, un homme vêtu d'un complet rayé le suit ; il l'a vu parler aux marins du navire de ligne ; il paraît très jeune ; il use de précautions telles pour le filer que tout le monde, sur le port, l'a remarqué. Ce jeune homme maladroit porte un lorgnon, probablement pour se vieillir ; il paraît souffrant. Depuis son arrivée Abercrombie a l'impression d'avoir croisé presque exclusivement des malades pâlots : ce sont juste des habitants des villes occidentales, bourgeois affairés, ouvriers d'usine, femmes d'intérieur. Richard Abercrombie ressort de l'hôtel et le petit homme à lorgnon le suit. Il s'engouffre dans la première ruelle qui vient et se cache dans l'encadrement d'une porte, laissant passer son espion ; puis il lui emboîte le pas, le rattrape et pose une main sur son épaule, lorsque le jeune homme, égaré, s'arrête. Le jeune homme se fige : sans se retourner, il a compris. Il se retourne et rougit violemment. Il paraît de près encore plus jeune. Richard Abercrombie lui sourit poliment, sans ironie.

James Paul James Gardiner Jr est le correspondant, à San Francisco, du *Weather Bureau* de Washington. Il présente ses excuses les plus plates ; il se propose d'expliquer, à défaut d'effacer, son comportement inexcusable. Il propose d'offrir un rafraîchissement au savant. Le savant accepte parce qu'il a soif, et propose au coin de la ruelle un estaminet nettement louche, que son propriétaire a finement baptisé le *Dragon chinois* ; on descend une volée de marches graisseuses, on entre dans une salle voûtée où une poignée de vieillards jouent au mah-jong. Comme bien des timides James Gardiner parle de façon continue, avec des gestes larges et rapides, par peur du vide. On s'assoit. Le professeur accepterait-il une bière ? Il accepterait. On commande deux pintes de bière. Deux pintes de bière arrivent. Gardiner Jr parle toujours. Depuis son débarquement, James Paul James Gardiner Jr a suivi Abercrombie sans mot dire, sans oser l'aborder, depuis sa prime enfance, ou presque, il suit l'illustre carrière du professeur Abercrombie, il s'est même procuré, il doit l'avouer, le numéro de l'*Indonesian Chronicle* dans lequel M. Walker a publié un récit tellement pittoresque du face-à-face entre Richard Abercrombie et un orang-outang féroce. James Gardiner aurait bien pris la liberté d'aborder le professeur Abercrombie, mais il n'a pas osé ; il a préféré observer ce génie à quelque distance. James Paul James Gardiner Jr dit vraiment « prendre la liberté », « génie » ; par ailleurs, il est plutôt sympathique. Richard Abercrombie, qui n'a pas bu une goutte d'alcool depuis un an, est saoul avant d'avoir vidé sa chope. Il sourit avec bienveillance à son jeune admirateur, sans comprendre le tiers de ses propos volubiles. Cela n'affecte pas l'orateur. James Paul James Gardiner Jr se dit honoré, infiniment, de saluer en Abercrombie un maître de la météorologie. Il parle de science et de progrès, il a bien des questions à poser à l'auteur du désormais classique *Principes de prévisions météorologiques* (163 pages, 65 ill., dt 6 pl. h. t. coul.), il a lui-même, le dénommé James Paul James Gardiner Jr, jeté sur le papier d'innombrables relevés concernant les brumes matinales sur Napa Valley, ici même, en Californie, qu'il aimerait soumettre, oh bien modestement, à son interlocuteur. Enfin et surtout et tout compte fait, James Paul James Gardiner Jr demande avec respect, en rougissant à l'extrême du spectre des radiations dites rouges, s'il est possible de s'enquérir de l'état d'avancement des photographies promises à la communauté scientifique au congrès de Paris. C'est au tour de Richard Abercrombie de rougir violemment ; puis il se souvient que l'autre ne peut pas savoir ce que contient son album très particulier. Les autres clients de la gargote, fumeurs d'opium, marins véreux, après une longue période d'observation méfiante, ne prêtent plus aucune attention à ces Blancs bavards et fluets dont la police ne voudrait pas. Maintenant Richard Abercrombie est totalement ivre et s'amuse tout à fait. Il commande une tournée, et son admirateur n'ose pas refuser. Alors, pour se débarrasser gentiment de l'honorable correspondant à San Francisco du *Weather Bureau* de Washington, moitié pour faire plaisir à ce pauvre James Paul James Gardiner Jr qui parle à un fantôme, moitié pour s'amuser, Richard Abercrombie raconte un peu n'importe quoi, avec des airs profonds, il dit qu'effectivement il dispose désormais d'un nombre considérable de clichés, mais il ne dit pas de quoi, et il ne ment qu'à moitié en expliquant qu'il doit trouver une façon de les présenter, que leur divulgation ne peut se faire sans l'accompagnement d'un écrit qui les organise, les justifie ; qui décrive au monde les expériences inédites auxquelles il a dû se livrer. C'est alors que James Paul James Gardiner Jr demande à mi-voix, la mine extatique, et toujours rougissant de son audace, si l'on ne pourrait appeler cet écrit spécial, et les images qu'il accompagne, un protocole. Abercrombie acquiesce avec cet air mystérieux et pénétré qu'ont les ivrognes au dernier degré. C'est exactement cela : un protocole.

Trente ans plus tard, pour un numéro spécial du *Weather Bureau Monthly* consacré aux pionniers de la météorologie moderne, James Paul James Gardiner Jr, le fameux spécialiste de l'irrigation des champs cultivables, se souviendra avec émotion de cet épisode ; pendant trente ans il aura chéri ce souvenir, il l'aura entretenu soigneusement dans ses moindres détails, pour ne pas le déformer ; et naturellement pendant trente ans il n'aura cessé de l'enjoliver : ce sera l'une des sources majeures du mythe du Protocole. Car Abercrombie retiendra l'expression de ce petit jeune homme qu'il ne reverra jamais, jusqu'au jour où, peu de temps avant sa mort, il écrira à l'encre violette sur la couverture verte de son classeur, ce titre ingénument prétentieux : le protocole Abercrombie.

James Paul James Gardiner Jr a voulu raccompagner le professeur Abercrombie à son hôtel, naturellement. Le professeur a refusé. Peut-il passer dès demain déposer à M. le professeur Abercrombie une copie de ses observations touchant aux brumes matinales de Napa Valley ? Certainement, il peut.

Resté seul, Richard Abercrombie reprend son bagage sur l'épaule et change une nouvelle fois d'hôtel. Il prend une rue au hasard dans le quartier chinois et en moins de vingt minutes il trouve une fumerie d'opium où l'on peut faire venir des femmes. Personne ne viendra le chercher là. Il loue une chambre pour deux semaines, qu'il paie d'avance. Abercrombie a décidé d'étendre ses recherches à toutes les régions du monde : son intuition lui souffle que l'appétence sexuelle des races est fonction d'affinités secrètes avec les climats ; mais de vieux réflexes scientifiques lui commandent de vérifier cette intuition. San Francisco est au centre du monde nouveau qui s'annonce : à mi-chemin de la vieille Europe et de la vieille Asie, c'est la ville rêvée pour cette étude ; Abercrombie y reste trois mois. Trois mois pendant lesquels il couche avec les natives de tous les pays qu'il n'a pas pu visiter. Le reste du temps il marche dans cette ville qu'il a tout de suite aimée, pour les ressemblances secrètes qu'elle offre avec sa propre destinée : ville sans attachement à son propre passé ; ville peuplée, mais sans population ; ville où chacun peut vivre à sa guise. Une invincible répugnance l'empêche de coucher avec des femmes de son pays, ou de l'Europe continentale. Très vite, et dans le temps même où la communauté scientifique perd sa trace pour longtemps, où le pauvre Gardiner se ronge les sangs et harcèle la police de la ville, persuadé qu'Abercrombie a été victime d'un enlèvement brutal, Richard Abercrombie devient, dans les milieux de la prostitution, une sorte de célébrité. C'est à lui qu'on peut toujours apporter une indigène, pourvu qu'elle ne figure pas sur la liste qu'il a confiée au tenancier de son bordel d'attache, et qui ne cesse de s'allonger.

Le propriétaire de la fumerie-bordel où il a élu résidence, un Chinois, lui vend un jour une sorte de manuel religieux d'inspiration taoïste, rédigé dans un anglais aberrant, mais abondamment illustré, et entièrement pornographique. Au détour d'une page Abercrombie se trouve nez à nez avec l'image d'un petit garçon rieur, entièrement nu ; un doigt au coin de la bouche, il tient de la main gauche son sexe ; sur d'autres estampes, il est montré s'affairant sous une dame, ou même plusieurs. Abercrombie n'a jamais vu ce lutin espiègle. Il se renseigne. T'un Y'un est un personnage mineur du folklore taoïste, et c'est la plus malicieuse des divinités mineures du panthéon chinois. La légende veut qu'il soit né le plus facétieux et le plus dissipé des dieux : à la naissance de la terre il n'a pas été possible de lui confier une tâche sérieuse telle que la conduite d'un astre ; aussi lui a-t-on donné à garder le troupeau des nuages. C'est pourquoi, si à hauteur des étoiles et du ciel T'un Y'un commande aux jeux toujours mouvants du ciel et de l'eau, dans l'érotique chinoise, il régit les principes du souple et de l'humide. Richard Abercrombie comprend qu'il a trouvé son dieu. Il ne manque donc plus de rien.

Richard Abercrombie traverse les États-Unis d'ouest en est, avec indifférence. Depuis des siècles l'Europe a jeté là ses rebuts ; il n'est pas de nation plus bigarrée que celle-ci, et pourtant ils partagent cet air fermé, ces manières brutales, cette allure indifférente qui sont la marque de l'Occident. Cela ne l'affecte guère, cependant : la discipline hautement spirituelle à laquelle il s'astreint tous les jours le porte à ignorer les apparences les plus superficielles pour apercevoir dans chaque être une nouvelle combinaison d'éléments simples, sous une forme certes singulière, mais participant à la continuité profondément unitaire du vivant. Beaucoup d'eau, des minéraux variés, une chimie très complexe, une électricité subtile : voilà ce qu'est pour lui un être humain sur la surface de la terre, voilà cet être qui vit dans les plis de la terre, et qui, depuis le début de l'époque moderne, cherche à s'y rendre étranger. Abercrombie a choisi de passer par le nord du pays ; partout il croise ces rêves humains qui ne sont plus les siens et qu'on appelle des villes. Il traverse Salt Lake City où de pieux migrants se crurent un jour bénis, en voyant une mer morte s'étaler à leurs pieds ; il traverse Cincinnati et sa vallée encaissée où des Allemands ruinés s'arrêtèrent, se croyant revenus dans la Ruhr. À Chicago il visite encore un bordel, mais la chair des femmes, ici, est décidément trop triste.

C'est à Washington, en septembre 1893, que les prodromes de la maladie qui finira par tuer Abercrombie le frappent. Il a joui jusque-là d'une santé impeccable. Tout commence très simplement : il se met à tousser, attrape une forte grippe ; puis une infection de la peau, puis une autre ; des dérangements digestifs, et d'une façon générale toute maladie qui traîne là où il se trouve. Quand il aura compris ce phénomène, il restera chez lui, avec un personnel réduit au minimum, en vivant douce-ment, afin de ne pas mourir trop vite. Pour Ri-chard Abercrombie cette pluie de troubles, si gê-nante qu'elle soit, revêt un intérêt spécial : son corps devient enfin lui-même le champ d'expéri-mentation de sa pensée. Il se met à croire qu'il n'y a presque plus de hasard dans sa vie ; et cette ma-ladie protéiforme qui le frappe lui paraît le signe de son élection, la marque tangible de son génie. Ayant fréquenté charnellement plus d'êtres divers que quiconque au monde, sans doute, c'est au mé-lange des races qu'il attribue cette colonisation de son organisme par des formes de vie extérieures. Car pour lui, bien entendu, une maladie est une forme de vie comme une autre ; certes elle met en péril l'individu Richard Abercrombie ; mais elle est aussi le signe de la justesse de ses idées.

Parfois Abercrombie se sent le premier mutant d'une nouvelle espèce, parfois le dernier des hommes. La mort ne lui fait pas peur : il a dispersé sa semence tout autour du monde, et les éléments qui se sont associés brièvement pour le former vont assurément poursuivre leurs vies, au sein des méta-morphoses incessantes de l'univers, qui est le vi-vant. Il pressent l'avènement d'un nouveau Moyen Âge : un temps d'invasions barbares, de mélange des races et des cultures, d'inventions extraordi-naires. Que cette évolution inéluctable ouvre égale-ment la possibilité de maladies affreusement meur-trières, il ne s'en étonne pas : le Moyen Âge lui-même a connu la peste, venue de si loin, par les rats des navires, nettoyer l'Europe. Les premières chaleurs du printemps à Washington, l'aggravation de son état de santé le déterminent à traverser l'Atlantique, en direction de l'Angleterre : un climat tempéré retardera l'échéance.

Une ligne d'horizon qui lui paraît décolorée, des traînées de nuages filandreux, informes et rapides : c'est l'Angleterre. Pour rejoindre Londres, il prend passage sur une péniche interminable qui remonte lentement la Tamise, dans une odeur écœurante de boue iodée et de charbon humide. Si Londres a encore noirci, et paraît encore infiniment plus vieille, il semble avoir rajeuni, sans sa moustache, avec ses cheveux mi-longs attachés sur la nuque, à l'imitation des marins au long cours. Sur cette terre où il aura passé la plus grande part de son existence, Richard Abercrombie ne cherchera jamais à coucher avec l'une de ses compatriotes.

Au surplus, il a décidé de traiter la communauté scientifique mondiale par le mépris ; il sera un génie posthume ; son classeur vert est énorme maintenant, gros de sexes du monde entier. Il a réalisé au total deux mille clichés de sexes de femmes différents, qu'il a classés par régions du monde, au sein de chaque région par pays, au sein de chaque pays par ethnie, et qu'il a légendés en indiquant l'âge du sujet. Dans la péniche qui le ramenait à Londres, Richard Abercrombie a réfléchi à la conclusion à donner à pareil ouvrage, et l'idée d'un essai consacré à un infini absolument matériel lui trotte dans la tête depuis sa traversée de l'Atlantique Sud, vers la Californie, au spectacle constant et indéfiniment renouvelé des vagues éventrées par l'étrave.

Il est à Londres depuis quinze jours quand il se résout à l'inévitable : contacter le clan Abercrombie, sa famille en somme. Il a repoussé l'échéance au plus loin. Pour s'accoutumer progressivement il décide de se présenter chez lui. Car Richard Abercrombie, naturellement, possède une maison à Londres, qu'il n'a pas même songé à regagner à son arrivée, ayant pris l'habitude et le goût des hôtels. La résidence personnelle principale du professeur Abercrombie est une bâtisse haute, rouge et blanc, de style néo-classique, dans le quartier de Kensington. Il sonne. Un domestique lui ouvre, et c'est un fils et petit-fils et arrière-petit-fils de domestiques anglais, au service de la famille depuis trois générations : il ne bronche pas en revoyant Monsieur. Il fait entrer Monsieur, il confie à Monsieur qu'il est content de le revoir, il sert Monsieur, il demande à Monsieur combien il faut engager de domestiques, et Abercrombie indique un chiffre ridiculement faible : cinq personnes suffiront. Le clan Abercrombie donne des fêtes deux fois le mois, durant la saison. On l'invite scrupuleusement et on le fait savoir, pour montrer qu'on ne donne pas crédit aux rumeurs de disparition ou même de folie du savant de la famille. Monsieur, informé par son fidèle domestique, fait répondre qu'il ira, dans deux jours, à la réception Abercrombie.

La réception est très réussie. Elle coûte cinquante ans du salaire d'un ouvrier, là-bas, très loin, dans les mines du nord de Cardiff qui sont la principale source de revenus du clan Abercrombie, mais rien de la sueur et de la poussière infiltrée dans les poumons de cet ouvrier ne transpire sur les pelouses de Hyde Park, sous les tentes bleu et blanc, sur les nappes immaculées. Des dames s'amusent au tir à l'arc. Au détour d'une allée, Richard Abercrombie reçoit un coup au cœur, en reconnaissant le chien de son adolescence ; mais l'animal gronde à son approche, sans le reconnaître. Ensuite Richard mesure sa méprise : celui-là est le petit-fils du sien, au mieux. Sous la plus grande des tentes trône sa mère, entourée comme toujours d'une nuée d'hommes en habits ; en vingt ans, elle n'a toujours pas renoncé à porter le deuil de son mari, à quitter ce noir qui lui va si bien. Richard Abercrombie se souvient qu'enfant il aimait passionnément cette femme. Ils se saluent courtoisement.

Une escadre d'aristocrates guindés s'avancent vers lui en formation serrée : ses cousins, son frère. Les Abercrombie n'ont toujours pas démérité de l'Écosse et de la Couronne : il y a parmi eux un évêque de l'Église anglicane, quelques officiers supérieurs de Sa Majesté. On lui parle avec un enthousiasme d'autant plus grand que l'on croit pouvoir remarquer que Richard n'est pas fou. Son frère l'entraîne à l'écart. L'objet de leur conversation n'est pas d'emblée tout à fait clair ; mais il émerge peu à peu des brumes diplomatiques : John Abercrombie veut connaître les intentions de son aîné ; avec une vitesse inespérée, il ressort des propos de Richard Abercrombie qu'il ne compte pas porter, socialement s'entend, le glorieux nom des Abercrombie. Il ne compte pas davantage se montrer sur les terres du clan, là-bas, en Écosse. Il vivra retiré à Londres. John Abercrombie s'empresse de courir auprès de sa mère annoncer toutes ces bonnes nouvelles. Richard peut s'en retourner à Kensington.

Désormais reclus, il entame la rédaction de la note sur l'infini qui doit parachever le Protocole. Les objets de la nature, dans leur immense majorité, se présentent comme irréguliers : la ligne droite, le cercle, le cube n'existent pratiquement pas sur cette planète. Que l'on considère des objets aussi différents que le flanc d'une montagne, la paroi d'un vagin de femme ou la surface d'un grain de blé : tous comprennent des aspérités, des irrégularités plus ou moins importantes ; mais la science occidentale n'a jamais véritablement tenu compte de chaque sinuosité, de chaque anfractuosité dans l'étude de ces objets. Si l'on charge un géomètre de calculer la longueur des côtes d'Angleterre, il considérera les accidents de la côte comme autant de petits segments de droites, plus ou moins longs, mis bout à bout. Or, à bien y réfléchir, c'est une approximation pratique, mais trompeuse. Les irrégularités de ces côtes, si on prend la peine de les mesurer, sont fort longues, car fort sinueuses. Il faudrait des dizaines d'années sans doute à un marcheur pour arpenter exactement la côte des Cornouailles, s'il prenait à ce marcheur la fantaisie de suivre tous les détours du bord de mer ; encore cette précision ne serait-elle pas parfaite. Car la plus petite irrégularité, prise en elle-même, se compose de minuscules anfractuosités, de sorte qu'il faut aller jusqu'à dire que la côte des Cornouailles est rigoureusement infinie. Et l'on peut étendre cette découverte à l'ensemble des objets naturels : l'ourlet d'une oreille, la main d'un enfant, le ventre des femmes sont, eux aussi, absolument sans fin. Infini est le dernier mot écrit par Richard Abercrombie dans son gros classeur vert : désormais son œuvre est parfaite.

Et puis la maladie le grignote. Les deux ou trois premières années, il s'amuse assez d'être un cas pour les médecins anglais. Il perd toute espèce de respect pour ses savants compatriotes qui manquent de patience, parce qu'il représente un cas atypique ; la plupart s'éclipsent, parce qu'ils ne veulent pas être celui qui n'a rien pu faire pour ce malade riche, au cœur du beau quartier de Kensington. Un jour qu'excédé l'un d'entre eux finit par lui lancer qu'il ne peut pas avoir mal là où il prétend avoir mal, Abercrombie prend la décision de leur fermer sa porte, définitivement. Il fait descendre dans sa cave, dans des caisses de bois soigneusement clouées, l'intégralité de son dossier médical. Il ne garde, en le collant sur la dernière page du Protocole, que le croquis qu'un des hommes de l'art a tracé au dos d'une enveloppe, pour montrer à son patient en quoi consiste la tuberculose qui le frappe. Il n'est pas difficile de comprendre pourquoi : le croquis représente de petits sacs arachnéens, qui lui donnent l'oxygène de la vie et qui semblent de petits cumulus gorgés de sang. Bientôt les maladies qui le frappent, en vagues de plus en plus rapides, amoindrissent nettement ses facultés. Richard Abercrombie divague, parfois pendant des jours entiers. On l'installe au rez-de-chaussée, dans un fauteuil, près d'une baie vitrée ; mais il ne regarde ni le ciel ni la rue.

Il a enfin arrêté définitivement le nom de son invention : ce sera l'analogie, et rien d'autre. Le terme d'isomorphie est certes plus exact, plus scientifique que celui d'analogie. Mais le son qu'il rend n'est pas le bon. Pour éprouver la validité du nouveau nom de la nouvelle science, Richard Abercrombie l'essaie dans les contextes les plus variés. Par exemple, il dit à voix haute : le professeur Abercrombie vient d'être nommé à la chaire d'analogie qu'on vient de créer pour lui à Cambridge. Il l'essaie de même dans des titres : « Principes d'analogie appliquée » ; « L'Analogie à l'usage des enfants et des personnes du sexe ». Bientôt il rêve d'un Institut d'anthropologie analogique : il se voit à l'Académie royale de médecine, dans un vaste amphithéâtre éclairé à l'électricité, il présente le sexe de femmes de toutes races à un public de médecins, de philosophes et d'amateurs éclairés ; on l'applaudit quand il explique l'indolence naturelle des nègres au travail, et leur luxure invétérée, par l'hypertrophie de leurs organes sexuels secondaires. Il a complètement oublié qu'il voulait être posthume. Souvent les domestiques doivent changer les garnitures de son fauteuil, qui sentent l'urine et la diarrhée.

Au mois de décembre 1893 s'est ouvert le Congrès météorologique de Vienne, celui-là même où Richard Abercrombie devait présenter son « Atlas photographique des nuages ». Il n'a même pas fait le voyage, prétextant une maladie ; mais il a reconnu, dans un message adressé au président du congrès, la victoire de son illustre collègue et ami Williamsson : le véritable atlas universel des nuages ne peut être qu'un ensemble de lithographies exécutées par l'Artiste, sous l'œil du Savant ; le cliché photographique est aléatoire, faussement objectif. Cependant même les salauds sont mortels : deux jours avant la fin du congrès de Vienne, on trouve le cadavre violacé de William S. Williamsson dans un bordel répugnant du centre de la ville. La dame très chic qui l'accompagnait pour s'encanailler avec une brune vulgaire, sous les yeux de Williamsson, s'est enfuie dès l'instant où il a commencé de suffoquer ; quand la brunette remonte avec la patronne, le vieux est bien mort. La patronne a flairé le notable, et sa fortune ; elle fait les poches du cadavre, épluche le journal.

Sa patience est récompensée et elle soutire du président du congrès une somme considérable, pour se taire et faire transporter discrètement le corps. Très officiellement le cadavre du grand William S. Williamsson est trouvé dans sa chambre par le détective de l'Hôtel Impérial. Le congrès interrompt ses travaux et organise un hommage. L'absence d'Abercrombie, la disparition de Williamsson : pour beaucoup d'habitués, ce congrès viennois marque la fin d'une époque.

La légende du Protocole, elle, grandit. Les spéculations enflent d'autant plus facilement que son auteur ne s'exprimera jamais plus en public. En souvenir du vieux temps un confrère écossais lui a envoyé, par fidélité, une copie du discours de clôture du congrès de Vienne. Abercrombie le lit lentement mais quelque chose a changé, en si peu d'années ; et il n'y comprend rien : la météorologie est devenue une science adulte. Chaque soir, dans tout l'Occident, des agriculteurs, des généraux, des officiers de marine attendent les bulletins météorologiques qui dicteront l'emploi d'une bonne partie de leur temps. Chaque matin, à Londres, avant que la bonne soit entrée tirer ses rideaux, aérer la chambre, servir le petit déjeuner, un homme seul, malade et heureux, se lève lentement de son lit et va s'incliner légèrement, sur sa véranda, devant la statue d'un demi-mètre de haut d'un enfant potelé et rieur. C'est une statue de bronze d'une facture médiocre qui représente, d'après le marchand de chinoiseries de Gerrard Street qui la lui a vendue comme un authentique porte-offrande de l'époque Song, la divinité nommée T'un Y'un : c'est un enfant joyeux, debout. Il est le maître des nuages, qu'il souffle au gré de sa fantaisie.

Après le petit déjeuner le vieillard s'installe aux côtés de T'un Y'un, enveloppé dans des couvertures matelassées. Il y a une façon nouvelle de fumer qui l'enchante et à laquelle il s'adonne alors, sous l'œil bienveillant de son dieu, et au grand désespoir de son valet de chambre : ce sont des cigarettes que l'on achète toutes roulées, munies d'un filtre de cellulose. Il aime fumer. Il se renverse dans sa méridienne, sous le soleil rare de la véranda ; il laisse échapper la fumée en ouvrant grand la bouche, plus qu'il ne la souffle. La fumée s'élève jusqu'au plafond, et il la suit des yeux jusqu'à sa disparition. Ou bien il laisse une cigarette achever sa carrière dans la niche d'un cendrier : la fumée monte d'abord très droit ; puis, selon un mouvement incompréhensible mais visiblement ordonné, elle se tord sur elle-même, et ce serpent s'évase jusqu'à sa dispersion. Parfois une mouche vient perturber la trajectoire des volutes avec des raffinements tout aussi erratiques.

Richard Abercrombie meurt en 1917. Ce n'est pas une bonne année pour mourir : des millions d'hommes font de même dans toute l'Europe ; les journaux publient d'interminables listes de noms. Parfois, quand un membre éminent de la Royal Society pourrit dans une tranchée, le *Times* se fend d'une nécrologie polie, mais distraite ; Abercrombie, lui, n'a droit qu'à quelques lignes. Il meurt peuplé de maladies vivaces, il meurt secrètement enchanté de cette prolifération démente du vivant sur son corps mourant. Le clan Abercrombie délègue son frère aux funérailles. C'est alors seulement qu'il perce le secret le mieux gardé du défunt : sa fille de onze ans.

L'affaire Abigail Abercrombie remonte à la fin de l'année 1912. Richard Abercrombie a stipulé dans son testament que son Protocole sera publié au lendemain de sa mort. Or, en l'an 1912, alors que le volcan Katmai vient d'anéantir sous des tonnes de cendres l'île Kodiak, du côté des Aléoutiennes, Abercrombie s'avise soudain que, s'il n'y prend garde, le clan fera main basse sur son Protocole. Abercrombie sait d'avance ce que sa famille pensera de ses gros plans d'anatomies féminines, de ses croquis de coquillages et de fleurs, de ses divagations sur le Même. Un testament ne suffit pas : l'Histoire regorge d'inventeurs et de philosophes et d'artistes trahis, bafoués par leur famille. Pour protéger son œuvre, Abercrombie s'avise d'un moyen fou : se doter d'un héritier étranger à son sang. Un matin, la maisonnée Abercrombie est en émoi, car le maître a demandé qu'on prépare une sortie ; deux heures plus tard une voiture est là ; et tout le personnel, massé dans la cuisine, regarde par la fenêtre ce spectacle inédit pour eux : une sortie du maître.

L'Orphelinat des fils et des filles de marins est une haute bâtisse étroite, à l'extrémité orientale de Fleet Street. De grosses dames de la bonne société viennent, vers Noël, y tapoter des têtes, y recevoir des fleurs. La façade est rébarbative, mais le personnel admirable. Le fiacre n'est pas même immobilisé devant le bâtiment principal que la directrice, une laïque longue et sèche comme un vieux biscuit, surgit sur le perron, en habit, pour accueillir cet illustre sociétaire de l'Académie royale des sciences. On présente au riche visiteur de petits singes costumés, rangés et peignés au cordeau, les sujets méritants, les mieux notés de l'institution, les plus assidus aux cours d'instruction religieuse. Richard Abercrombie les considère poliment. On déjeune dans un réfectoire clair, sur une estrade qui domine les tables des orphelins. Ensuite c'est la promenade dans la cour, derrière l'orphelinat, presque un parc à vrai dire, une belle surprise au cœur de Londres, où les enfants s'égaillent. Autour du visiteur commence le ballet sournois et soigneusement réglé des candidats à l'adoption, qui font des pantomimes d'enfants sages, des réflexions touchantes, des remarques au-dessus de leur âge. Enfin Richard Abercrombie avise une fille de six ans environ, qui reste à l'écart, aussi récurée et peignée que les autres. Elle s'occupe à cracher dans une flaque d'eau pour y faire des ronds. Dédaignant les mines pincées du personnel, et la consternation visible de la directrice de l'établissement, c'est elle que choisit Richard Abercrombie. L'honorable professeur manifeste ses intentions, qui sont de ramener l'enfant chez lui immédiatement. Un moment de flottement s'ensuit, la directrice regarde les sœurs qui regardent ailleurs. L'année précédente, un petit garçon ainsi adopté par un pair d'Angleterre honorablement connu a été retrouvé dans la Tamise, le corps lacéré, sans parler de blessures plus difficilement évocables. On hésite. Un don considérable de Richard Abercrombie aux œuvres de l'orphelinat vient, loin de les calmer, attiser les inquiétudes du personnel. Mais la directrice cède. Dans le fiacre la petite Abigail s'endort, contre le vieillard qui en fait autant.

L'hérédité peut-être, les privations de la prime enfance, toute cette misère irrémissible de la première vie d'Abigail a fait son œuvre : la fille adoptive de Richard Abercrombie est une petite souillon idiote et ingrate, aussi malpropre que lascive. Affaibli, diminué par ses maladies constantes, son père adoptif ne s'en inquiète guère : les colères de la petite sont la marque d'une personnalité affirmée ; son refus d'apprendre quoi que ce soit le signe d'une précoce indépendance d'esprit ; la cuisinière de la maison de Kensington n'arrange rien car, s'étant prise pour l'enfant d'une passion aussi débordante qu'aveugle, elle la gâte au-delà de toute raison.

Le temps passe. Le monde ne vieillit pas, bien au contraire ; ce siècle qui commence montre une inventivité presque juvénile dans l'horreur et les destructions. En 1915, Richard Abercrombie constate, à la lecture des journaux, que la science météorologique permet désormais de se tuer avec une précision accrue : dans cette guerre qu'on prévoyait courte et qui s'éternise dans les plaines du nord de la France, l'étude des vents aide à la diffusion des gaz toxiques, celle de la couverture nuageuse permet des mouvements des troupes plus meurtriers ; et l'on annonce dans les revues spécialisées que ces nouveaux appareils appelés aéroplanes vont fournir de nouveaux débouchés aux jeunes météorologues patriotes. Richard Abercrombie s'effrite : il s'amuse des filets de bave sur sa poitrine, et de leurs trajectoires. Son amertume envers la communauté scientifique est telle qu'elle l'empêche de léguer tous ses papiers à l'Académie royale des sciences.

On voudrait pouvoir citer de nobles propos de lit de mort ; disposer d'une belle lettre résumant sa vie, où il décrirait la profonde cohérence de son existence, pouvoir décrire une dernière entrevue entre le savant et sa fille adoptive. Mais Richard Abercrombie ne meurt pas ainsi. Au soir du 4 décembre 1917, on le trouve affaissé dans son fauteuil habituel, sur la véranda. Il n'a pas appelé, il n'a pas crié. Le médecin légiste, dans un beau mouvement d'honnêteté, écrira dans son rapport, sous la rubrique « Cause du décès », ces mots qui sont l'aveu de son ignorance : « épuisement général ».

En découvrant l'héritière, le clan décide de circonscrire le scandale en ne protestant pas officiellement. À la cuisinière, qui d'ailleurs n'est pas cupide, on verse une rente correcte. On la nomme également tutrice de la petite. On leur laisse la jolie maison édouardienne, qui de toute façon commence à donner des signes de fatigue, ainsi que les avoirs strictement personnels de Richard.

Les débris d'une fortune du dix-neuvième siècle sont largement suffisants pour vivre convenablement au vingtième siècle ; les curateurs des biens de Richard Abercrombie les administrent de leur mieux et, en 1933, Abigail se trouve majeure, et millionnaire en livres.

Abigail Abercrombie ne s'est pas arrangée avec les ans. Sa précocité dans tous les vices ne s'est pas démentie. Devenue riche, elle consacre plusieurs années à jeter cette petite fortune par les fenêtres de divers hôtels des côtes françaises, ou dans les poches de divers hommes qui portent beau mais ne possèdent ni professions ni revenus décelables. Revenue à Londres, Abigail Abercrombie fait l'admiration de ses compagnons de débauche, dans les petits bouges du bord de la Tamise où elle s'entiche de marins, de dockers désœuvrés, qui la battent comme plâtre. À trente ans elle en paraît quarante-cinq. Ivrogne et inculte, Abigail n'est pas bête. À force de déchiffrer les courriers fleuris des savants du monde entier, elle a compris la valeur des papiers de son père adoptif : une malle de voyage pleine de correspondances, d'articles inédits, de mémoires. Elle a la confirmation de cette valeur lorsque, faisant placer dans les colonnes du *Times* une annonce pour trouver un expert afin d'en réaliser l'inventaire, elle reçoit une trentaine de candidatures bénévoles. C'est ainsi qu'en 1941 un petit homme rond et barbichu nommé Anton Vries débarque de Lettonie dans la maison de Kensington. Abigail a posé ses conditions : le professeur Vries effectuera gratuitement l'inventaire, en échange de quoi il pourra le publier, avec les commentaires qu'il jugera bons. Par chance pour elle Abigail est tombée, la veille de l'arrivée du savant letton, sur un classeur ventru, rempli d'épreuves photographiques et de notes manuscrites. Elle l'a ouvert au hasard et s'est trouvée nez à nez avec un sexe de femme, menu et nacré comme un coquillage des mers du Sud ; la rencontre ne la choque guère ; quant au texte qui l'accompagne, c'est pour elle du chinois. Mais elle tient dans les mains ce Protocole dont tous ces savants correspondants lui rebattent les oreilles depuis sa majorité. Le lendemain elle ne dit rien à Anton Vries, qui termine en quelques jours l'inventaire, déçu de n'avoir pù mettre la main sur le fameux Protocole, mais certain que la publication de ses *Observations touchant au fonds Abercrombie* le rapproche de la chaire de géographie qu'il convoite là-bas, en Lettonie. Juste avant son départ, Abigail convoque un homme de loi : elle souhaite un contrat. Vries ne peut refuser : il doit aussi expertiser un document particulier, dont il ne devra pas faire état publiquement ; en échange de quoi il peut être nommé éditeur de la correspondance Williamsson-Abercrombie dont Abigail s'apprête à vendre le manuscrit à New York. Anton Vries s'incline. La description du Protocole qu'il rédige, et qu'Abigail fera publier dans le *Bulletin de l'Organisation météorologique mondiale*, est un chef-d'œuvre de précision bibliophilique mais aussi d'hypocrisie, car il ne dévoile rien du contenu exact du document. Les amateurs et les collectionneurs du monde entier s'enflamment.

Alors commence, pour Abigail, un long et lent jeu de spéculation : elle ne dément ni ne confirme aucune rumeur concernant le Protocole, laissant entendre à l'un que la valeur sentimentale de l'objet est telle qu'elle ne peut se résoudre à s'en séparer, à un autre encore que le contenu du classeur est trop inconvenant pour être publiable. Personne, dans le milieu des connaisseurs, n'est dupe des scrupules d'Abigail Abercrombie, mais la cote du Protocole monte. S'est posée pour elle la question du lieu où conserver l'objet et, comme toutes les personnes sans instruction, Abigail Abercrombie se méfie des banques ; elle croit fermement, en revanche, aux cachettes. Le classeur est volumineux. Elle passe des heures à traîner dans toute la maison de Kensington. Enfin elle trouve une cachette qu'elle juge satisfaisante.

En 1946, à quarante ans, Abigail Abercrombie tombe enceinte ; elle n'a jamais pris la moindre précaution dans ce domaine, se croyant stérile ; le voudrait-elle qu'elle ne pourrait retrouver le père, parmi la dizaine de ses amants des six derniers mois. Mais enceinte elle découvre la lourdeur du corps et les douceurs de la dévotion. Elle cesse de boire avec une facilité déconcertante, elle rompt avec ses fréquentations du port. Elle prie absurdement pour que son enfant hérite de l'intelligence de Richard Abercrombie ; par superstition elle lui donne son prénom. Richard Abercrombie Jr se souviendra d'une petite femme anguleuse, aux mains sèches, d'une pruderie méticuleuse avec son enfant, d'une constante sévérité, et l'aimant à la folie. Le petit Richard est un enfant sage et un élève irréprochable ; un jeune homme parfaitement mesuré et un étudiant émérite. Abigail sera affreusement déçue quand il s'orientera vers le métier de psychanalyste, après avoir fini son droit. Abigail Abercrombie placera pourtant dans sa chambre, sur une petite bibliothèque spécialement achetée à cette fin, tous les articles de son fils, et un exemplaire relié de sa thèse de doctorat.

À cent ans elle décline d'un coup, durant l'été 2005. À l'hôpital de Whittington, chaque jour son fils la visite. Elle se plaint de tout, de ces médecins nègres et indiens qui certainement la tuent. La veille de sa mort, Abigail révèle à son fils la cachette du Protocole, la seule richesse qui lui reste, avec la maison elle-même. Elle exprime le souhait qu'il vende cet objet, et lui recommande de ne pas le lire, par respect pour son grand-père. Le fils manifeste sa gratitude, il remercie avec effusion, il promet solennellement de ne pas lire le document. Richard Abercrombie connaît l'existence du Protocole depuis qu'il a dix ans ; à douze ans il l'a découvert par hasard, pendant que sa mère préparait un thé à la cuisine ; il a très vite appris à remettre le classeur à sa place, sous deux lames de parquet du placard à balais, sans en faire grincer la porte. Richard Abercrombie Jr s'est masturbé trois ans devant les vénérables clichés de son grand-père.

L'été 2006 s'annonce chaud et humide, un été de nuages, que Virginie doit passer à Londres car ses premiers congés tomberont à Noël ; mais rien ne lui manque ici. Près de la petite maison blanche qui est désormais la sienne, elle apprend à connaître le parc de Hampstead. Virginie en est tombée amoureuse. On peut aimer passionnément un parc. Elle s'y rend chaque jour quand elle ne va pas à Reading, dans un élan de piété tranquille pour ses vallons humides et ses collines herbeuses, où poussent des chardons. Plusieurs siècles ont passé sur la lande de Hampstead, sans la changer. Certes, il n'y fait plus jamais nuit noire ; car les images des satellites sont formelles : il n'y a désormais plus un seul point, dans toute l'Europe, où règne une obscurité complète. Virginie aime cependant à penser que l'endroit où se promenait Luke Howard n'a pas beaucoup changé ; il est bon de fouler les allées où des morts ont marché, avec le même plaisir, dans la même paix de l'esprit et du corps, en un lieu où des arbres vénérables ont vu passer, jeunes, des dames en crinoline et portant une ombrelle, au bras de beaux messieurs.

À l'étage unique de la petite maison du 6, Well Walk, Virginie se repose parfois sous sa verrière : un grand plan incliné de trois mètres sur deux découpe dans le ciel un tableau constant et sans cesse changeant, au-dessus de son lit. Rien au monde de plus fascinant que les nuages, sinon l'océan ; mais là est le danger. Car rien aussi n'est plus vain, plus trompeur, plus stupéfiant que cette matière toujours changeante, toujours renouvelée ; et que l'on peut si aisément s'épuiser à vouloir décrire, comprendre, dominer. Ce que Virginie Latour avait d'abord perçu comme le long et doux cortège des amoureux de nuages comporte, elle s'en aperçoit maintenant, un peu trop de suicidés, de désespérés, d'amoureux éconduits et de solitaires tristes. Quant à Richard Abercrombie, Virginie Latour se dit qu'il lui a simplement manqué des collègues loyaux, des domestiques dévoués, des élèves admiratifs ; car il paraît n'avoir jamais eu de véritable ami ; et Richard Abercrombie fait partie de ces êtres qu'on ne peut imaginer enfant. Il a côtoyé des centaines de femmes, et c'est à elles qu'il a consacré ses pages les plus lyriques, mais semble n'avoir jamais connu la douceur d'être ensemble, à ne rien faire. Parfois Virginie Latour ne sait plus quoi penser, mais elle se dit que ce n'est pas bien grave. Elle travaille.

Au Centre météorologique, elle rencontre régulièrement les meilleurs spécialistes européens de la météorologie moderne ; en les écoutant, en les questionnant, Virginie Latour comprend que Richard Abercrombie n'est pour eux qu'une figure pittoresque et pathétique, de la préhistoire météorologique ; ce qu'un alchimiste est à la chimie moderne. Car pour ces informaticiens, ces mathématiciens, ces géographes, la Science est ce qui se fait ici et maintenant ; on connaît vaguement les grands précurseurs. Le reste n'existe pas, n'existe plus. À ce compte-là, non seulement la science analogique de Richard Abercrombie leur paraît aberrante, mais encore ils peinent à comprendre comment on a bien pu vouloir ranger les nuages en catégories rigides. La classification d'Howard est certes, encore maintenant, fort utile pour l'amateur éclairé, pour le peintre du dimanche, pour le simple curieux ; mais à Reading personne ne s'en sert plus. Pour les scientifiques les nuages avaient fait leur temps ; on s'occupait maintenant de décrire des systèmes atmosphériques, de grands ensembles de courants, de dépressions, de fronts spiralants. Et d'énormes et coûteux calculateurs, dans le silence vitrifié de salles climatisées, dessinaient les cartes de ce monde nouveau.

Il y a pourtant une autre façon de concevoir cette évolution, et Virginie, dans le silence de sa maison de Londres, bataille pour la construire. La science analogique aurait bien pu mener Richard Abercrombie vers une conception globale, systémique, des mouvements nuageux ; car les nuages n'étaient plus pour lui des objets séparables et séparés, mais plutôt un état du milieu atmosphérique. Certes, un élément personnel était venu dévier la trajectoire de l'analogie, et c'est entre les cuisses des femmes que Richard Abercrombie avait dressé l'autel de sa religion personnelle, la clef de son désir ; ce n'était pas un culte plus fou qu'un autre ; simplement il avait peu d'adeptes, d'une façon générale, et moins encore, singulièrement, dans l'Angleterre où son inventeur l'avait ramené. Et il est certainement impossible de penser que Richard Abercrombie avait influencé directement les recherches actuelles, puisqu'en l'an 2006 les siennes n'étaient toujours pas publiées. Mais Virginie Latour ne peut s'empêcher de penser que le simple fait qu'il ait ouvert ces nouveaux possibles n'est pas entièrement dénué de signification. À force de s'obstiner, Virginie parvient à formuler un paradoxe satisfaisant : un inventeur contribue de façon décisive à rendre ses propres travaux aberrants, puisqu'il ouvre la possibilité de les dépasser.

Le progrès scientifique, indifférent aux destinées naturelles et humaines, a poursuivi sa course. Le 5 mars 1950, à Aberdeen, dans l'État du Maryland, les quarante-deux armoires métalliques de l'ordinateur conçu par John von Neumann, manipulé pendant trente-trois jours et trente-trois nuits par une équipe internationale de cinq personnes, permettent d'effectuer trois prévisions exactes à vingt-quatre heures d'échéance à partir d'un modèle simplifié d'atmosphère. John von Neumann est le premier à gagner cette course de vitesse entre le temps qu'il va faire et les hommes, entre les puissances humaines de calcul et les forces naturelles. Après tout va de plus en plus vite, c'est la loi même des ordinateurs, parce que la loi des ordinateurs est la même que celle du marché. On considère l'atmosphère comme un volume découpé en une série de boîtes. Chaque boîte est réductible à un ensemble de points, chaque point peut faire l'objet d'un calcul. C'en est donc fini, pour la science, des nuages ; les voilà devenus des ensembles de points coordonnés dans un espace de simulation à plus de trois dimensions.

Et maintenant un réseau gigantesque a quadrillé le monde, sur la terre, sur les mers et dans les cieux. Depuis les années soixante du siècle vingtième des satellites ont été envoyés flotter au-dessus de l'atmosphère, là où la vie terrestre se raréfie jusqu'à l'irrespirable. Certains de ces satellites se trouvent à trente-six mille kilomètres de la Terre et tournent avec elle, à la verticale de l'Équateur ; d'autres satellites la frôlent, à mille kilomètres de hauteur, et ils en font le tour par le chemin le plus court, dans l'axe des deux pôles, qu'ils croisent toutes les douze heures. À Reading, en Grande-Bretagne, dans quelques autres centres dans le monde, on a installé des ordinateurs étrangement beaux, dans leurs armoires noires et blanches, qui effectuent, à chaque seconde, un nombre impensable de calculs ; dans ces centres des centaines de femmes et d'hommes ont patiemment recensé, étudié, modélisé les paramètres que la simulation informatique du temps devait intégrer, sur la terre comme au ciel. C'est qu'il faut bien des choses pour faire le temps qu'il fait. Il y a tout ce qui se passe au sol, comme la fonte des neiges ou la réverbération de la chaleur. Il y a les variables de l'état du sol : sa nature géologique, sa rugosité, sa température, son humidité. Il y a les multiples interactions entre le sol et l'atmosphère, telles que les flux de chaleur sensible et les flux d'évaporation, les phénomènes de frottement. Il y a les variations de l'état de l'atmosphère, comme l'humidité, la température, le vent. Il y a ces processus physiques au sein de l'atmosphère elle-même que sont la diffusion, le rayonnement, la convection, et bien entendu les précipitations. C'est tout cela qu'il faut maîtriser, autant que la chose est possible, pour prétendre prévoir le temps qu'il fera. Et maintenant les chercheurs butent contre un mur : en dépit de l'augmentation exponentielle de la vitesse de calcul des ordinateurs, il était absolument impossible de prévoir le temps au-delà de cinq jours sur une région vaste, par exemple l'Europe. Alors l'Europe s'est emparée du Centre de Reading en Grande-Bretagne et l'a modernisé en Centre européen de prévision météorologique.

Virginie Latour attend. Elle attend une tempête. Chaque lundi, en arrivant au Centre de Reading, elle se rend dans la salle des prévisions. Enfin, le lundi 1er octobre 2006, une maîtresse tempête semble se tramer pour la fin de la semaine, à l'ouest de l'Irlande, tournant lentement sur elle-même sa masse prodigieuse. Au soir du mardi 2, qui est la fin de sa semaine à Reading, Virginie rentre à Londres en toute hâte, pour ne pas rester bloquée sur les routes.

D'après les calculs des machines électroniques, cette tempête, quand elle frappera la côte occidentale de l'Angleterre, sera la plus violente des cinquante dernières années. Et brusquement, en déchiffrant les cartes du mercredi 3 pour le vendredi 6, les spécialistes de Reading sont totalement désorientés : cette tempête annoncée dépasse toute prévision ; elle n'a jamais eu d'équivalent dans toute l'histoire des relevés météorologiques de Grande-Bretagne ; de Londres où on l'a équipée d'un poste informatique dédié, Virginie suit l'évolution des cartes, et n'en croit pas ses yeux. Le 4 octobre, les ingénieurs de Reading sont plongés dans une perplexité totale, car le Centre européen de prévision météorologique à moyen terme de Reading vient de mettre en service, à la fin du mois d'août, après six mois d'essais à blanc, une nouvelle génération de calculateurs dédiés à la prévision des états atmosphériques. Le HV 1000 appartient à un nouveau type, dit « à mémoire distribuée », c'est-à-dire qu'il effectue un nombre impensable de calculs en utilisant plusieurs batteries de mémoire. L'intérêt, naturellement, tient à la complexité du modèle d'atmosphère que l'on peut ainsi engendrer ; mais les ingénieurs de Reading ont encore amélioré ses performances, en imaginant de fournir au HV 1000 une banque contenant toutes les données des dix dernières années, elle-même raccordée à un moteur d'inférence. De cette façon, chaque fois que le HV 1000 lui-même propose une prévision, la banque de données recherche l'état de l'atmosphère qui dans le passé s'est approché le plus de celui-là, et nourrit la représentation cartographique ; de sorte que des milliards de calculs sont épargnés à la mémoire distribuée : d'où la possibilité de préparer des prévisions fiables non plus à quarante-huit ou soixante-douze heures, mais de pousser jusqu'à quatre-vingt-quatre, voire quatre-vingt-seize heures. Et, pendant ses six mois d'essai à blanc et son mois de fonctionnement effectif, le trio HV 1000-Banque de données-Moteur d'inférence a effectué des prévisions d'une précision et d'une anticipation fabuleuses.

Dans les premiers jours d'octobre 2006 c'est ce système éprouvé que Reading utilise, tout en laissant tourner, par sécurité, leurs bons vieux Fujitsu. Et c'est ce système censément éprouvé qui, dès le 2, confirme pour le 6 et le 7 octobre des précipitations et des pointes de vent proprement invraisemblables, que la banque de données refuse même de confirmer parce qu'elle a été programmée pour invalider des écarts trop importants. Devant le gigantesque écran à plasma de la salle de contrôle, qui permet de voir les fronts climatiques avancer sur toute l'Europe occidentale, les techniciens osent à peine se regarder, tant le dilemme est préoccupant : faut-il donner l'alerte, ou bien le HV 1000 est-il en train de révéler des faiblesses de programmation jusqu'ici inaperçues ? Les hommes du Centre se tournent vers l'ancien matériel : les Fujitsu n'annoncent que de fortes bourrasques, conformes aux moyennes saisonnières. Le dilemme est alors le suivant : soit l'on suit le HV 1000 en se disant qu'il annonce, précisément en raison de son excellence, des phénomènes qu'un appareil moins sensible aurait négligés ; soit l'on se rabat vers le vieux matériel, et vers la prévision la plus vraisemblable. Bien entendu, la décision prise collectivement à l'issue d'une discussion intense mais brève (car des millions de clients attendent les prévisions du Centre), décision qui consiste à choisir entre croire son expérience et croire la nouvelle machine, à ce bijou de titane et de carbone noir qui leur a coûté cinq années d'un travail ingrat, et à la communauté européenne des sommes auxquelles on n'ose pas même penser ;

cette décision au fond prévisible, tant la crainte de ruiner le Centre par la présentation d'un calcul aussi aberrant, la décision prévisible est évidemment de se référer en fait, le plus discrètement possible, aux machines les plus vieilles. Et donc, au soir du 3 octobre 2006, le Centre européen de prévision météorologique à moyen terme de Reading émet un bulletin annonçant un temps généralement instable, avec avis de bourrasques localisées de niveau 2 sur une échelle de 6, avec averses par vagues et risque de grésil dans tout l'ouest de l'Europe ; rien d'alarmant pour la saison. Une fois ce bulletin basculé sur le site officiel du Centre, des procédures automatisées transmettent également des bulletins régionaux aux abonnés dans toute l'Europe, institutionnels, transporteurs, agriculteurs. Puis le personnel technique passe toute la nuit à ausculter le HV 1000. Au petit matin le Centre reçoit des appels effarés de stations météorologiques de la côte occidentale de l'Irlande : une tempête effroyable, large comme l'Irlande elle-même, s'apprête à la traverser d'ouest en est, et, piquant un peu, en tourbillonnant allégrement, vers le sud, elle fonce vers la Grande-Bretagne, vers les côtes de Belgique et de la France, en dévastant tout sur son passage. À Reading on conserve encore un petit espoir que les coups de vent cessent aussi rapidement qu'ils ont commencé, mais vers huit heures du matin, la tempête, en passant sur Reading, arrache les toitures de tous les bungalows administratifs du Centre européen de prévision météorologique à moyen terme. Et vers neuf heures tout le monde se rend à une évidence, en un sens réconfortante : le calculateur HV 1000 à mémoire distribuée tient toutes ses promesses.

Pendant ce temps, à Londres et dans toute l'Angleterre, l'alerte a été enfin donnée ; les rues sont désertées, les habitations calfeutrées. Après avoir fermé tous les volets de sa petite maison blanche, au 6, Well Walk, Virginie Latour s'est équipée très soigneusement : elle a fait l'acquisition, le matin même, d'un équipement complet de marin de plaisance, d'un jaune très seyant. Elle sort vers quatre heures du soir et, en prenant bien soin de marcher au milieu de la rue, elle se dirige vers la lande de Hampstead. Virginie Latour a beau savoir que des malheureux vont être blessés tout à l'heure, que des imprudents, des imbéciles ou des inconscients vont mourir pendant ces deux jours de tornade, de voitures jetées dans des fossés, de torrents de boue dévastateurs, d'arbres déracinés, Virginie a beau savoir tout cela, elle ne peut s'empêcher de sourire à cette tempête qui vient enfin. Elle ne peut s'empêcher de sourire en pensant qu'il reste des forces indomptées, même ici, dans la vieille Angleterre de ce pauvre Richard Abercrombie. Tout de même, elle cesse de sourire en pénétrant sur la lande : le vent la pousse au sol comme un jouet.

Le tout maintenant est de progresser sans s'approcher des arbres ; évitant le petit chemin tortueux, celui des riverains et des habitués, Virginie s'avance au beau milieu d'une prairie méconnaissable, couverte à l'ordinaire de hautes herbes que le vent a plaquées sur le sol, et qui forment un tapis glissant qui lui tord les chevilles ; le ciel à l'horizon est méconnaissable, parcouru de traînées grisâtres, insensées. Enfin elle parvient au pied de la colline du Parlement, qu'elle gravit à genoux, assourdie par l'air sifflant, aveuglée par des eaux tourbillonnantes. Parvenue au sommet elle se tourne vers le sud ; Londres s'étale à ses pieds, sans contours distincts, comme noyé sous un déluge de plomb fondu et glacé, cauchemardesque. Virginie extrait de la poche ventrale de sa vareuse une boîte métallique rectangulaire ; elle l'ouvre lentement, pour donner une dignité à son geste, mais cette tentative est dérisoire : le couvercle de l'urne est soufflé dans les airs, et les cendres disparaissent instantanément. Et Virginie Latour reste là, stupide, à contempler le fond immaculé de l'urne vide. Dans un court accès de bon sens, elle s'aperçoit qu'elle constitue une cible parfaite pour la foudre, et pour toutes sortes d'objets volant autour d'elle. Elle rentre donc à pas lents, arquée contre le vent.

Vers les cinq heures du soir, Virginie Latour est à l'abri. Elle se débarrasse de ses bottes et de son ciré, se fait couler un bain, elle se déshabille entièrement et s'y plonge. Elle songe qu'une partie des cendres d'Akira Kumo va probablement rester là, à nourrir les arbres de la lande ; tandis que l'autre partie, projetée si brusquement dans les plus hautes couches de l'atmosphère, ne va pas redescendre de sitôt. Virginie songe qu'avec un peu de chance ces cendres emprunteront l'un de ces courants de haute altitude qui nous survolent sans cesse, à plus de quatre cents kilomètres à l'heure, et qui sont en fait les véritables artisans du temps qu'il fait, beaucoup plus bas, sur terre. Elle songe qu'une partie de ces poussières peut venir à croiser, dans son périple autour du globe, les derniers grains de poussière du grand volcan Krakatoa ; ou bien même les ultimes traces vitrifiées, affreusement radioactives, d'une petite fille vaporisée au bord de la rivière Ota, près de la ville d'Hiroshima. Virginie Latour pense aussi, sur sa petite île blanche au milieu des tempêtes, qu'elle va vivre sa vie. Mais ceci est une autre histoire.

DU MÊME AUTEUR

Aux Éditions Gallimard

LA THÉORIE DES NUAGES , 2005 (Folio n° 4537)

FILS UNIQUE , 2006 (Folio n° 4654)

PETIT ÉLOGE DE LA DOUCEUR , 2007 (Folio 2€ n° 4618)

LES MONSTRES, SI LOIN ET SI PROCHES , 2007 (Découvertes
   Gallimard n° 520)

COLLECTION FOLIO

4558. Edgar Allan Poe — *Petite discussion avec une momie et autres histoires extraordinaires.*

4559. Madame de Duras — *Ourika. Édouard. Olivier ou le Secret.*

4560. François Weyergans — *Trois jours chez ma mère.*

4561. Robert Bober — *Laissées-pour-compte.*

4562. Philippe Delerm — *La bulle de Tiepolo.*

4563. Marie Didier — *Dans la nuit de Bicêtre.*

4564. Guy Goffette — *Une enfance lingère.*

4565. Alona Kimhi — *Lily la tigresse.*

4566. Dany Laferrière — *Le goût des jeunes filles.*

4567. J.M.G. Le Clézio — *Ourania.*

4568. Marie Nimier — *Vous dansez?*

4569. Gisèle Pineau — *Fleur de Barbarie.*

4570. Nathalie Rheims — *Le Rêve de Balthus.*

4571. Joy Sorman — *Boys, boys, boys.*

4572. Philippe Videlier — *Nuit turque.*

4573. Jane Austen — *Orgueil et préjugés.*

4574. René Belletto — *Le Revenant.*

4575. Mehdi Charef — *À bras-le-cœur.*

4576. Gérard de Cortanze — *Philippe Sollers. Vérités et légendes.*

4577. Leslie Kaplan — *Fever.*

4578. Tomás Eloy Martínez — *Le chanteur de tango.*

4579. Harry Mathews — *Ma vie dans la CIA.*

4580. Vassilis Alexakis — *La langue maternelle.*

4581. Vassilis Alexakis — *Paris-Athènes.*

4582. Marie Darrieussecq — *Le Pays.*

4583. Nicolas Fargues — *J'étais derrière toi.*

4584. Nick Flynn — *Encore une nuit de merde dans cette ville pourrie.*

4585. Valentine Goby — *L'antilope blanche.*

4586. Paula Jacques — *Rachel-Rose et l'officier arabe.*

4587. Pierre Magnan — *Laure du bout du monde.*

4588. Pascal Quignard — *Villa Amalia.*

4589. Jean-Marie Rouart — *Le Scandale.*

4590. Jean Rouaud — *L'imitation du bonheur.*

4591. Pascale Roze — *L'eau rouge.*

4618. Stéphane Audeguy	*Petit éloge de la douceur.*
4619. Éric Fottorino	*Petit éloge de la bicyclette.*
4620. Valentine Goby	*Petit éloge des grandes villes.*
4621. Gaëlle Obiégly	*Petit éloge de la jalousie.*
4622. Pierre Pelot	*Petit éloge de l'enfance.*
4623. Henry Fielding	*Histoire de Tom Jones.*
4624. Samina Ali	*Jours de pluie à Madras.*
4625. Julian Barnes	*Un homme dans sa cuisine.*
4626. Franz Bartelt	*Le bar des habitudes.*
4627. René Belletto	*Sur la terre comme au ciel.*
4628. Thomas Bernhard	*Les mange-pas-cher.*
4629. Marie Ferranti	*Lucie de Syracuse.*
4630. David McNeil	*Tangage et roulis.*
4631. Gilbert Sinoué	*La reine crucifiée*
4632. Ted Stanger	*Sacrés Français ! Un Américain nous regarde.*
4633. Brina Svit	*Un cœur de trop.*
4634. Denis Tillinac	*Le venin de la mélancolie.*
4635. Urs Widmer	*Le livre de mon père.*
4636. Thomas Gunzig	*Kuru.*
4637. Philip Roth	*Le complot contre l'Amérique.*
4638. Bruno Tessarech	*La femme de l'analyste.*
4639. Benjamin Constant	*Le Cahier rouge.*
4640. Carlos Fuentes	*La Desdichada.*
4641. Richard Wright	*L'homme qui a vu l'inondation* suivi de *Là-bas, près de la rivière.*
4642. Saint-Simon	*La Mort de Louis XIV.*
4643. Yves Bichet	*La part animale.*
4644. Javier Marías	*Ce que dit le majordome.*
4645. Yves Pagès	*Petites natures mortes au travail.*
4646. Grisélidis Réal	*Le noir est une couleur.*
4647. Pierre Senges	*La réfutation majeure.*
4648. Gabrielle Wittkop	*Chaque jour est un arbre qui tombe.*
4649. Salim Bachi	*Tuez-les tous.*
4650. Michel Tournier	*Les vertes lectures.*
4651. Virginia Woolf	*Les Années.*
4652. Mircea Eliade	*Le temps d'un centenaire* suivi de *Dayan.*
4653. Anonyme	*Une femme à Berlin. Journal 20 avril-22 juin 1945.*

Composition Facompo
Impression Novoprint
à Barcelone, le 3 novembre 2008
Dépôt légal : novembre 2008
1er dépôt légal dans la collection : avril 2007

ISBN 978-2-07-034463-5./Imprimé en Espagne.

Composition Euro......
Impression Maury-Imp......
achevé d'imprimer le 16 septembre 2008
Dépôt légal : octobre 2008
1 dépôt légal dans la collection : septembre 2005
Numéro d'imprimeur : imprimé en France.
105